어떻게 살려고 그래?

어떻게 살려고 그래?

초판 1쇄 인쇄 2016.7.18.
초판 1쇄 발행 2016.7.25.

지은이 김도윤

펴낸이 한건희
펴낸곳 주식회사 부크크
등록 2014.7.15.(제2014-16호)
주소 경기도 부천시 원미구 춘의동 202 춘의테크노파크2단지 202동 1306호
전화 (070) 4085-7599
이메일 info@bookk.co.kr
홈페이지 www.bookk.co.kr

책값은 뒤표지에 있습니다.
ISBN 979-11-272-0210-1

딱 세 명만 아는 나의 비밀 이야기

어떻게
살려고
그래?

김도윤 지음

BOOKK✎

굵고 짧게 살 거라고 해 놓고,
꽤 가늘고 길게 잘 살고 있다.

희생의 참뜻을 깨닫게 되었고,
만사에 미혹되지 않게 되었다.

세 번째 책을 쓴 것이 아니라,
마지막 책을 썼다고 생각한다.

마흔한 번째 생일을 맞이하여,
사랑하는 가족들과 모두 함께.

사진 ⓒ 김도윤, 2016

차례

사진 ⓒ 김도윤, 2016

2016년 07월 10일 07시 57분 현재 만 40세

1/4.

경영대학 학부 이 학년 때인가 소설 창작 연습이라는 국어 국문학과의 전공 선택 과목을 수강한 적이 있다. 당시 작문만은 누구보다 자신이 있던 나는 주저하지 않고 첫 수업에 참석하였다.

첫 수업은 발표 순서를 정하는 것이 전부였는데, 알고 보니, 별도의 출석 확인이나 시험 없이, 한 학기 동안에 단편 소설 한 편을 제출하고 발표하면 되는 수업이었다. 교수님께서, "당장 다음 수업 시간까지 단편 소설을 제출하고 그 복사본을 다른 학생들에게 배포해야 하는 시간적인 제약을 감안하여, 맨 처음에 단편 소설을 제출하는 학생에게 최하점으로 B 학점을 보장하겠다."고 말씀하셨다. 그래도 아무도 먼저 하겠다고 나서지 않았다. 나는 타 수강생이 기회를 가로채기 전에 얼른 손을 들었다.

　두 번째 수업에 들어가자 모두 나의 단편 소설을 읽고 있었다. 난생 처음 쓴 단편 소설인데 낯선 사람들이 열심히 읽는 모습을 보니 두근거리는 동시에 뿌듯했다. 얼마 지나지 않아서 교수님께서 강의실로 들어오셨다.

　교수님은 뜬금없이 "학생들이 제출한 단편 소설을 두 번 이상 읽은 적이 없다."고 말씀하셨다. 내가 제출한 단편 소설을 무려 열 번도 넘게 읽으셨다고 하시더니, "도대체 왜 이런 글을 쓰는지 도무지 이해할 수가 없다."고 덧붙이셨다. 마치 교수님 이외에는 아무도 숨을 쉬고 있지 않고 있는 것처럼, 강의실은 조용해졌다.

　"이 단편 소설은 완벽한 문장과 문단으로 구성되어 있습니다. 처음부터 마지막까지 완벽하죠. 단 하나의 군더더기도 없이 깔끔하고, 단 하나의 사소한 실수조차 찾을 수 없는, 완벽한 글쓰기를 보여 주고 있습니다. 너무 완벽해서, 글을 쓰는 사람이라면, 열 번이 아니라 백 번을 읽어도 여전히 감탄하게 되겠죠. 문제는 바로 이런 완벽한 글을 쓸 수 있는 재능을 가진 사람이 왜 이런 이해할 수 없는 단편 소설이나 쓰고 있는지 알 수 없다는 점입니다."

　수강생들이 힐끔거리며 나를 쳐다보기 시작했다. 교수님께서 와이셔츠의 주머니에서 담뱃갑을 꺼내시며, 이내 학생들에게 나의 단편 소설에 대한 감상이나 비평을 시작하라고 말씀하셨다. 선뜻 누구 하나 손을 드는 사람이 없었다. 담배를 태우시던 교수님께서 급기야, 마치 '인민재판'을 받기 전에 '자아비판'을 시작하는 것처럼, 나에게 스스로 나의 단편 소설을 비평하라고 지시하셨다.

나는 자리에서 일어나 내가 쓴 단편 소설의 주제가 무엇이며, 등장인물을 지칭하는 영문 머리글자가 상징하는 바가 과연 무엇인지, 그리고 소설을 쓰게 된 동기 및 목적과 의의에 대해 발표하기 시작했다. 내가 발언하는 동안에, 귀를 거슬리는 소리라고는 오직 앞으로 혹은 뒤로 복사본의 페이지가 넘겨질 때마다 나는 요란한 소음밖에 없었다. 강의실은 여전히 적막했다.

"아무리 완벽하게 글을 쓰면 뭐합니까? 자기 자신만 이해하고 공감할 수 있는 글은 낙서나 일기에 불과하죠. 글쓴이의 설명을 듣고 있자니, 완벽한 글을 쓸 수 있는 재능을 가진 사람이 왜 이해할 수 없는 단편 소설을 쓸 수밖에 없었는지 비로소 알 수 있을 것 같군요. 바로 경험의 부족입니다. 타인이 이해하고 공감할 수 있는 소설을 쓰기 위해서는 자신의 경험이나 타인의 경험, 여타 간접경험 등을 글로 옮겨야 하는데, 이 소설은, 처음부터 끝까지, 저자의 가슴이 아닌 머리에서 인위적으로 창작된 글에 불과합니다. 아무 감동도 주지 않는 무가치한 단편 소설이죠."

얼굴이 화끈거렸다. 시선을 책상으로 떨구는데 옆에 앉은 수강생이 내게 자리에 앉으라는 듯 눈짓을 보내고 있었다. 나는 소리 없이 자리에 앉았다. 창작이라는 단어가 마치 거짓이라는 단어의 유의어인 것처럼, 곱씹을수록 입 안에서 불쾌하게 비린 맛이 났다.

그럴싸하게 쓰여진 아무 가치도 없는 글이라는 교수님의 비평이 마치 내 자신의 정체성에 대한 비난처럼 느껴졌다. 섭섭하거나 분하지는 않았다. 다만 교수님의 말 한마디 한 마디가 마치 가시 방석처럼 나를 따갑게 찌르고 있었을 뿐이었다.

"학생은 다음 시간부터 내 수업에 들어올 필요가 없습니다. 이미 그 누구보다 완벽하게 글을 쓸 줄 아는 사람이라서 이 수업을 통해 더 배울 것도 없죠. 아까운 시간과 재능을 낭비하지 말고 그 시간만이라도 당장 학생에게 필요한 경험을 쌓기 바랍니다. 지난 시간에 약속한 대로, 나는 학생에게 B 학점을 주겠습니다. 매번 수업에 출석한다고 해도 달라질 것은 없습니다."

말씀을 마치신 교수님은 바로 강의실을 나가셨다. 다들 웅성거리는 사이에 나는 서둘러 가방을 챙겨서 강의실 밖으로 나왔다.

누군가 뒤에서 나의 어깨를 두드렸다. 옆 자리에 앉아 있었던 그 수강생이었다. 그녀는 내게 바쁘지 않으면 잠시라도 이야기를 나누고 싶다고 했다. 그녀는 국어 국문학을 전공하고 있는 사 학년 학생이라며 대뜸 내게 문과대학 학부생이냐고 물었다. 내가 아니라고 하자, 나머지 수강생들 모두 같은 학과 학우들이라서 서로 이미 잘 알고 있다고 하더니, 첫 수업 시간에 국어 국문학과 학생도 아닌 사람이 제일 먼저 발표를 하겠다고 손을 들어서 다들 깜짝 놀랐었다고 말했다. 갑자기 첫 수업 시간에 손을 번쩍 들었던 내 자신이 바보 같이 느껴졌다.

그녀는 내게 교수님의 말씀에 너무 상처받지 말라며, 직설적으로 말씀하시는 것으로 워낙 유명하신 분인데, 내게 애정이 있으시니까 평소보다 조금 세게 말씀하신 것 같다고 덧붙였다. 어느새 강의실에서 나오던 학생들이 그녀와 이야기를 나누고 있던 나를 쳐다보며 서성이고 있었다.

나는 잠시 망설인 끝에 어차피 다시 수업에 들어갈 생각도 없는데 무슨 상관이냐고 말했다. 그녀는 짐짓 실망한 표정을 짓더니, 정말 잘 쓴 단편 소설이라고, 아무나 그런 글을 쓸 수 있는 것이 아니니까 자부심을 가지라며, 꼭 다음 수업에도 들어왔으면 좋겠다는 말과 함께 멀찍이 서 있던 한 무리의 학생들 틈으로 돌아갔다.

이후로 나는 소설 창작 연습 수업에 가지 않았다. 교수님은 약속대로 내게 B 학점을 주셨다. 그 단편 소설을 끝으로 나는 더 이상 글을 쓰지 않겠다고 결심하였다. 집으로 돌아오자마자 나는 수년 동안 애지중지하던, 불과 몇 달 전에 출판된 첫 번째 시집의 초고를 마당에서 실컷 울며 불태워 버렸고, 석 달 뒤인 그 해 십이월에 입대를 하였다. 그렇게 그 단편 소설은 내가 처음이자 마지막으로 쓴 소설이 되었다. 내가 만 스무 살 때의 일이다.

여전히 나는 글을 쓴다. 단지 더 이상 남에게 보여주지 않을 뿐이다. 이따금씩 내가 당시에 문과대학 앞에서 갈기갈기 찢어버린 이십여 년 전의 그 단편 소설이 궁금해질 때가 있다. 기억나는 것이라고는 등장인물 J가 예수(Jesus)의 머리글자였다는 것이 전부다.

2/4.

훈련소에 입소한 지 반나절이 채 지나기도 전에 나는 소위 문제 사병으로 낙인찍혀 지휘관과 면담을 하게 되었다.

당시 나는 입소대대 동기들과 함께 내무반 안에서 대기하고 있었다. 이미 군대에서의 첫 번째 식사가 끝난 지 한참 지난 뒤였고, 입소할 때 입고 있었던 옷마저 수거된 탓에, 모두 몸에 맞지 않는 옷을 걸친 것처럼 어색하기 짝이 없는 훈련복을 착용한 채, 서로 말없이 앉아 있었다.

가만히 쳐다보고 있자니 맞은편에 있는 일부 동기들이 상기된 얼굴로 하나 같이 바지의 앞섶을 쥐고 있었다. 그러고 보니 그 누구도 입소한 이후로 화장실에 가지 못한 상태였다. 마침 입소대대 기간병이 내무반 안으로 들어오고 있었다. 동기 중 하나가 조심스럽게 손을 들더니 화장실에 다녀오고 싶다고 말했다. 삽시간에 기간병이 군홧발로 포물선을 그리듯 그 동기를 내리쳤다. 기간병은 복도로 나가더니 단 한 명이라도 내무반 밖으로 나오면, 그 내무반의 병사 전원에게 얼차려를 주겠다고 외치고 금세 사라졌다.

시간도, 공기도, 자유도 멈춘 것 같았다. 어느새 숨죽여 우는 동기도 생겨났고, 존재하지 않는 빈 병이라도 찾는 양 어쩔 줄 몰라 하며 주위를 두리번거리는 동기도 있었다. 아직 참을 만한 수준이 었지만 나도 오줌이 마려웠다. 그러나 소변을 참는 것보다, 화장실 조차 마음대로 갈 수 없다는 그 현실 자체가 더 참기 힘들었다. 나는 자리에서 벌떡 일어나 군화를 신었다. 놀란 동기들이 나를 붙잡으려 했다. 나는 그들의 손을 힘겹게 뿌리치고 복도로 나가 기간 병들이 서성이는 곳으로 걸어갔다.

"너는 뭔데 내무반 밖으로 나와? 어느 내무반이야? 당장 안 튀어 들어가?"

"화장실에 보내주십시오."

"뭐? 화장실에 보내달라고?"

"네. 소변을 볼 수 있도록 화장실에 보내주십시오."

"못 보내주겠으니까, 마려우면 여기서 싸."

"네?"

"그렇게 오줌이 마려우면 지금 당장 여기에 싸라고."

나는 잠시 멈칫하였으나, 입고 있던 군복 하의의 단추를 하나둘 씩 풀기 시작했다. 팔짱을 끼고 바라보고 있던 기간병 중 한 명이 "완전히 미친놈이잖아?"라고 하더니 다짜고짜 내 팔을 끌고 어디론 가 데려갔다. 화장실이었다. 그는 집게손가락을 입에 갖다 대더니, 담배 한 대에 불을 붙여 내게 건네며, 턱으로 소변기를 가리켰다.

"누가 보기 전에 얼른 피우면서 소변 봐라. 내가 군 생활 하면서 너처럼 깡다구 센 새끼는 처음 본다. 군대에서는 중간만 가면 돼."

기간병은 소변을 다 보고 겸연쩍게 꽁초를 들고 서 있는 나에게 근처 휴지통을 가리킨 뒤에, 다시 내 팔을 잡고 내무반으로 향하였다. 그 때 복도에 서 있던 다른 기간병 한 명이 소리를 지르며 나를 데리고 오라고 손짓을 했다. 다름 아닌 내게 복도에서 오줌을 싸라고 말했던 기간병이었다.

"분대장님, 얘는 그냥 보내지 말입니다."
"뭐? 이 새끼가 빠져 가지고. 안 돼. 야, 너는 문제 사병이니까 저기 상황실에 들어가서 앉아 있어. 중대장님과 면담해야 돼."

이미 상황실 안에는 아무 계급장도 붙어 있지 않은. 나와 같은 군복 차림의 훈련병 두어 명이 앉아 있었다. 옆에 앉은 훈련병이 내게 나 역시 여호와의 증인이냐고 물었다. 나는 고개를 저었다. 불과 십여 분도 지나지 않아 갑작스럽게 진행된 이 모든 상황이 비현실적으로 느껴졌다. 불과 대여섯 시간 전만 해도, 서울에서 논산까지 내려오신 부모님의 배웅을 받으며 입소한 자랑스러운 아들이었는데, 이미 나는 문제 사병으로 불리고 있었다.
갑자기 분대장이라는 기간병이 나를 일으켜 세우더니 상황실 안에 있는 또 다른 문을 두드렸다. 내가 그 안으로 들어가자마자 그 기간병은 문을 닫았다. 녹색의 헝겊 위에 대위 견장을 달은 장교

한 명이 서류가 잔뜩 쌓인 책상 앞에 앉아 있었다.

"너는 또 뭐야?"

"네?"

"너는 또 뭔데 여기로 불려 왔냐고?"

"모르겠는데요."

"뭐? 몰라? 똑바로 말 안 해?"

"제가 무슨 말을 똑바로 하든 무슨 소용이 있겠습니까? 저는 아무런 계급장도 없는 훈련병인데, 중대장님은 빛나는 대위 계급장을 달고 계시네요. 정말 제 말씀을 듣고 싶으시다면, 저도 제 훈련복을 다 벗겠으니 중대장님도 입고 계신 장교복을 다 벗으시고, 우리 남자 대 남자로 계급장 떼고 이야기합시다."

"뭐라고? 이 미친 새끼야?"

중대장님은 버럭 소리를 지르시더니, 나의 이름을 물으시고 이내 책상 앞의 종이 뭉치를 뒤척이시며, 나의 신상명세가 기재된 서류를 찾기 시작하셨다. 얼굴을 잔뜩 찌푸리신 채 서류의 내용을 살펴보시던 중대장님께서 갑자기 의아한 표정을 지으셨다.

"야, 너 ○○대학교 다니다가 입대했어?"

"네."

"서울 ○○동에 있는 본교 학생 맞아?"

"그런데요."

"거짓말하는 것 아니야?"

"아닌데요."

"근데 엘리트면 엘리트답게 타의 모범이 돼야지, 왜 사고를 쳐?"

"사고 안 쳤는데요."

"사고를 쳤으니까 기간병이 여기로 들어가라고 했겠지."

"저는 화장실에 보내달라고 말했을 뿐입니다."

"뭐라고?"

"방금 전에 제게 엘리트면 엘리트답게 타의 모범을 보이라고 말씀하셨죠?"

"그랬지."

"저는, 엘리트라면, 비록 자기 자신에게 불이익이 따르더라도, 잘못된 일에 대해서 잘못되었다고 용기 내어 말할 수 있어야 한다고 생각합니다. 저를 비롯한 훈련소 입소 동기 모두는 국방의 의무를 다하기 위해 입대를 하였습니다. 그렇다면 국가는 최소한 병사들에게 인간의 존엄성만큼은 침해되지 않도록 보장해 줘야 한다고 생각합니다. 소변을 누는 것은 요구해야 할 권리가 아니라, 존엄성 축에 들 수도 없는, 인간이라면 침해받지 말아야 할 지극히 당연한 사생활에 해당됩니다. 훈련소 입소대대에 들어온 이후로 아직 그 누구도 화장실에 다녀올 수 없었습니다. 저는 화장실에 보내달라고 요구했고, 한 기간병의 도움으로 소변을 누었지만, 다른 기간병에 의해 문제 사병으로 지목되어, 지금 이 자리에 불려온 것입니다."

내가 말을 마치자마자 중대장님께서 갑자기 자리에서 벌떡 일어나시더니 문을 여시고 상황실로 걸어 나가셨다. 기간병들에게 이것저것 캐물으시던 중대장님은 크게 호통을 치시면서 기간병들을 닦아세우기 시작하셨다.

벽에 달린 스피커로 중대장님의 음성이 들려왔다.

"지금부터 전 중대 훈련병들은 각 내무반별로 기간병의 통제와 인솔에 따라 화장실을 다녀오도록 한다. 전 중대 기간병들은 지금 당장 각 내무반별로 위치하여 즉각 내무반 순서대로 중대장의 지시사항을 이행한다. 이상."

방송을 마치신 중대장님은 다시 안으로 들어오셔서 자리에 앉으셨다. 무슨 생각을 하고 계시는지 도무지 알 수 없었지만, 얼굴에 희미한 미소마저 띠고 계셨다.

중대장님께서 나를 빤히 쳐다보시며 물으셨다.

"너, 이 녀석 몇 학번이야?"
"94학번인데요."
"내가 OO학번 선배다."
"아, 네."
"최근에 탈영을 시도하다가 적발된 훈련병이 있어서, 기간병들이 생각 없이 그랬던 것 같은데, 앞으로는 절대 그런 일이 없도록 지시했으니, 그렇게 알고 내무반으로 돌아가거라."
"네…."

"안 나가고 뭐해? 또 할 말이 있어?"

"만약에 이런 일이 다시 생기면 그때는 어떡해요?"

중대장님께서 다가오시더니 나를 데리고 밖으로 나가셨다. 상황실에 앉아 있던 분대장 기간병이 자리에서 벌떡 일어났다. 나를 화장실에 데려갔던 기간병도 눈에 띄었다.

"얘가 교육연대로 배치되어 이동하기 전까지 뭘 요구하든 일단 들어주고, 석식을 마치고 나면 무조건 얘를 나에게 데려와라."

"그렇지만 중대장님…."

"너희들이 다 덤벼들어도 이 녀석은 버거울 테니까, 잔말 말고 시키는 대로 해라, 이 자식들아."

"네, 알겠습니다."

내게 담배를 건네 줬던 기간병이 장난스러운 말투로 "우리 착하게 살자."라고 말하며 나를 다시 내무반으로 데려갔다. 동기들은 꽤 평온해진 얼굴로 내무반에 앉아 있었다. 기간병이 내무반을 나가자마자, 내무반에 있던 동기들이 내 주위로 살금살금 다가왔다.

"야, 너 안 맞았냐? 벌서고 왔냐?"

"미친 새끼야, 너 때문에 아까 우리 다 기합 받을 뻔했잖아."

"영창 안 갔네. 아까 누가 너 영창 간다고 그랬는데."

나는 아무 말도 하지 않았다. 아무런 반응이 없자, 주위로 몰려들었던 훈련소 입소대대 동기들은 곧 흥미를 잃은 듯 제각각 자기 자리로 되돌아가서 앉았다.

군대에서의 첫 날이 그렇게 호락호락하게 지나갈 리 없었다. 취침 점호가 막 끝났을 때였다. 기간병 한 명이 내무반으로 들어와 나를 다시 상황실로 데리고 갔다. 어리둥절하고 있는 내게 기간병은 중대장님께서 나를 찾으셨다며, 중대장실로 들어가라고 했다. 나는 노크한 뒤에 문을 열고 안으로 들어갔다. 부모님께서 중대장님과 함께 이야기를 나누고 계셨다. 나도 모르게 중대장님에 대한 배신감이 들면서, 눈물이 났다. 나는 바로 고개를 돌리고 부모님을 등진 채 벽을 보고 섰다. 중대장님께서 "아니, 아까 그렇게 똑 부러지게 말하던 녀석이, 갑자기 왜 그래?"라며 당황해하셨다.

중대장님은 내가 자랑스러운 대학 후배라고 말씀하시면서, 나의 성장 배경을 물어보시고자 부모님께 연락을 드렸는데, 입대 당일에 군부대에서 온 전화를 받으신 부모님께서 너무 걱정이 되신 나머지 훈련소로 부리나케 찾아오신 것이라고 설명하셨다. 중대장님에 대한 오해가 다소 풀리자, 나는 비로소 고개를 들고 부모님을 쳐다볼 수 있었다. 아버지는 내 손을 꼭 잡으시더니, 내게 "강해져야 한다."며 연신 눈물을 훔치셨고, 어머니는, 마치 아무런 고민도 없으신 것처럼, 허리를 꼿꼿이 세우신 채 바로 앉으신 상태로 물끄러미 나를 바라보고만 계셨다.

내가 "아무 걱정하지 마시고, 안녕히 가세요."라고 고개를 숙여

인사를 한 뒤에 자리에서 일어서자, 어머니께서 미소를 지으시며, 속삭이시듯이 "나는 우리 아들을 믿어."라고만 말씀하셨다. 나는 중대장실을 나와서 기간병과 함께 내무반으로 돌아왔다. 그렇게 군대에서의 첫 하루가 끝이 났다.

입소대대에서 보낸 둘째 날은 특별한 일 없이 지나갔다. 기간병들은 매 시간마다 내무반별로 대기하고 있던 훈련병들을 차례차례 화장실로 인솔하여 데리고 갔고, 그 누구도 구타나 가혹 행위를 당하거나, 얼차려를 받는 일이 없었다. 군대에서의 두 번째 석식을 마치고 나자, 한 기간병이 나를 중대장실로 데리고 갔다. 중대장님께서 내게 책상 앞에 놓인 의자에 앉으라고 말씀하셨다.

"오늘은 별 일 없었지?"

"네."

"할 말 있으면 해 봐."

"딱히 드릴 말씀이 없는데요."

"그래? 오늘은 내가 너에게 할 말이 있다."

"네? 아, 네."

"일요일마다 종교 행사가 있거든."

"종교 행사요?"

"응. 그래. 이번 일요일에 나랑 같이 성당에 가자."

"저는 불교 신자인데요."

"그래? 난 그래도 성당에 데려가고 싶은데. 너의 어머니께 내가 어제 약속을 드린 것도 있고."

"저의 어머니와 무슨 약속이요?"

"나는 살면서 너의 어머니와 같은 분을 만나 뵌 적이 없어."

중대장님은 어젯밤에 내가 중대장실에서 나온 뒤에 있었던 일을 말씀해주셨다. 내가 밖으로 나가자, 내내 미소를 짓고 계시던 어머니께서 돌연 아무 말씀도 없이 눈물을 주룩주룩 흘리시더니 중대장님을 처연히 바라보시며 말씀을 꺼내셨다고 한다.

"저는 목숨과 바꿔도 아깝지 않을 저희 아들을 오늘 마지막으로 봤다고 생각하고 돌아가겠습니다. 군대에 보냈으니, 저희 큰애는 저희 아들이 아니라 나라의 아들이겠죠. 지켜주고 싶어도 지켜줄 수 없는 엄마의 마음을 조금이라도 이해하실 수 있으시다면, 부디 중대장님께서 우리 아들을 힘이 닿으시는 데까지 저희 대신 책임지고 지켜주세요. 아무 것도 도와줄 수 없는 부족한 엄마로서 부탁드립니다. 제가 우리 아들을 위해서 할 수 있는 것이 이제 기도밖에 남지 않은 것 같군요."

그제야 비로소 왜 어젯밤에 어머니께서 내게 별 말씀도 하지 않으시고 몸을 가누신 채 우두커니 나를 바라만 보고 계셨는지 이해할 수 있었다. 마치 불길한 일을 예감하기라도 하신 듯 어머니는 그 순간이 아들을 마지막으로 보는 것이 될 수 있다고 생각하셨던 것이다. 아들이 어머니 당신을 떠올렸을 때 웃는 얼굴만 기억하기를 바라셨던 것이다. 못난 아들의 마지막 모습마저 눈물로 가려져서 흐릿하게 기억될까 봐, 어머니 당신은 이를 악물고 오로지 미소를 지은 채, 되돌아서는 아들을 바라볼 수밖에 없으셨던 것이다. "나는 우리 아들을 믿어."라는 어젯밤의 말씀은 어머니께서 스스로 되뇌시는 기도문이었던 셈이다.

대뜸 중대장님께서, 천주교 신자로서, 나의 대부가 되어 주고 싶다고 하셨다. 나는 건성으로 알겠다고 대답했다. 그렇게 군대에서 보낸 나의 두 번째 하루가 지나갔다.

대개 이삼일이면 교육연대로 이동하여 정식으로 군사 훈련을 받는다고 들었는데, 나와 같은 날에 입대한 훈련소 동기들은 일주일 가까이 입소대대에서 대기하고 있었다. 우리가 입대하기 바로 전날에 이미 대대적으로 훈련병 충원과 배치가 이루어진 까닭이었다.

그러는 사이에 종교 행사가 있는 일요일이 왔다. 중대장님의 권유대로 성당에 가야 할지를 고민할 때마다, 왠지 줏대가 없어 보이는 것처럼 느껴져서 적잖이 스스로에게 실망하던 차였다. 때마침 낯선 장교 한 명이 내무반으로 들어오더니 부대에 작업이 있다며, 나를 포함한 몇 명의 동기들을 막사 밖으로 데리고 나갔다.

그 장교는 나와 동기들을 잔반이 버려진 거대한 구덩이 앞으로 둘러 세우더니 구덩이 안으로 들어가 음식 찌꺼기가 아닌 비닐봉지 따위의 쓰레기를 모두 주워서 구덩이 밖으로 가지고 나오라고 했다. 누구 하나 선뜻 구덩이 안으로 들어가는 병사가 없었다. 썩고 있는 잔반의 지독한 냄새도 냄새였지만, 변변한 빨랫비누조차 채 지급받지 못한 입소대대 대기병으로서, 오직 하나밖에 없는 군복과 군화가 더러워지면 어떻게 세탁해야 할지 막막했기 때문이었다. 우리가 머뭇거리고 있는 사이에 그 장교는 나와 동기들에게, 발로 차서 구덩이로 밀어 넣기 전에 빨리 들어가라고 외쳤다. 구덩이로 굴러 떨어져 얼굴과 온 몸에 음식 찌꺼기가 묻을 것이 두려웠던 우리는 하나둘씩 서둘러 구덩이 안으로 내려가기 시작했다.

가능한 한, 손가락 끝으로 비닐봉지와 담배꽁초 등의 쓰레기를 집으며 음식 찌꺼기 늪에 빠지지 않도록, 조심스레 움직이던 나와 동기들에게 그 장교는 그렇게 꾸무럭거리면 구덩이 안에서 얼차려를 받게 될 것이라고 했다. 우리는 결국 오전 내내 잔반 구덩이 안의 쓰레기를 모두 다 줍고 난 뒤에야, 부패한 음식물 찌꺼기가 잔뜩 묻은 두 손과 군홧발로 내무반에 복귀할 수 있었다.

세면장에서 손과 군화에 묻은 오물을 닦아내고 있는데, 입대 첫날에 나를 화장실에 데려갔던 기간병이 세면장으로 찾아왔다. 중대장님께서 나를 부르셨는데 어지간히 언짢으신 것 같았다며, "너, 또 사고 쳤지? 우리 중대에서는 너만 착하게 살면 돼. 중간만 가자, 응?"하고 내게 농을 걸었다.

나는 의아한 마음을 일으키며 기간병을 따라 중대장실로 향했다. 기간병의 예상대로 중대장님은 잔뜩 화가 나신 상태였다.

"충성."

"야, 너는 중대장이 만만해 보이냐?"

"네?"

"내가 종교 행사할 때, 성당으로 오라고 했잖아. 너도 그렇게 하겠다고 대답했고. 하다못해 불교 행사 참가자 명단에도 없던데, 도대체 내무반에서 놀면서 뭘 했어?"

"종교 행사에 가기 전에 부대에서 해야 할 작업이 있다고 해서 오전 내내 작업을 하고 왔습니다."

"무슨 작업? 나는 우리 중대에 작업 지시를 한 적이 없는데?"

"네? 저희 내무반에 장교 한 명이 들어와서 저랑 다른 훈련병 몇 명을 데리고 갔었는데 말입니다."

"어떤 장교? 누구? 계급이 뭔데?"

"OOO 대위가 데리고 갔습니다."

"OOO 대위? 아니 왜 자기 중대 병사들을 놔두고 남의 중대 병사들을 데려다가 작업을 시켜. 가서 무슨 작업을 하고 왔어?"

"커다란 구덩이 안에 있는 음식 찌꺼기 속에서 쓰레기를 골라내는 작업을 하고 왔습니다."

중대장님은 어이가 없으셨는지 피식 웃으셨다. 잔뜩 경직되어 있던 나도 중대장님의 미소를 보고 나서야, 마음이 한결 가벼워졌다. 중대장님께 차마 속마음까지 말씀드리지 못했지만, 막판에 알량한 자존심을 부린 탓에, 천주교 종교 행사 참가를 주저했던 것은 엄연한 사실이기도 했다.

"거봐라. 중대장 말을 안 들으니까 바로 벌을 받잖아."

"자업자득이지 말입니다."

"그래, 작업할 때 무슨 특별한 일은 없었나?"

"만약 전쟁이 일어나면 우리 군은 백전백패할 것이 분명하다고 생각했습니다."

"그건 또 무슨 똥딴지같은 소리야?"

"지휘자는 솔선수범해야 한다고 생각합니다. 저희 훈련병들이 잔반 구덩이 안으로 들어가기를 주저하자, OOO 대위는 당장 들어가지 않으면 발로 차서 밀어 넣겠다고 소리를 질렀습니다. 정작 자신은 구덩이 밖에서, 구덩이 안에 있는 병사들에게 손가락으로 지시를 할 뿐이었습니다. 상급자의 지시를 하급자가 이행해야 하는 것 자체가 잘못되었다는 말씀이 아니라, 만약 OOO 대위가 자신을 따르라고 하듯 먼저 구덩이 안으로 들어갔다면, 저희들은 주저하지도, 원망하지도 않았을 것입니다. 되려 OOO 대위를 존경하는 마음이 생겼을 수도 있고, 군인이라는 새로운 신분에 자부심을 갖게 되었을 수도 있으며, 훈장이라도 단 것처럼 손과 군화에 묻은 오물을 자랑스럽게 여겼을 수도 있습니다. 만약 전시에 지휘관이 오늘과 같이 행동한다면, 저는 백전백패할 수밖에 없다고 확신합니다. 지휘관이 먼저 도망치든지, 아니면 병사들이 먼저 도망치지 말입니다. 그것도 아니라면, 오늘처럼 처벌이 두려워 마지못해 지시에 따르는, 군인 흉내만 내는 장병들만 전쟁터에 남을 뿐입니다. 어떤 경우든, 전쟁을 치르기도 전에, 이미 전쟁에서 패배한 것과 다를 바 없는 것이 아니겠습니까?"

중대장님은 한동안 아무런 말씀도 하지 않으셨다. 아무 생각 없이 열변을 토하고 나자, 가슴이 더럭 내려앉았다. 그 짧은 육칠일 사이에 군인다운 말투에 조금씩 익숙해진다 싶더니, 계급도 없는 훈련병 주제에 대위 계급의 육군 장교에게, 그것도 내게 과분하도록 잘해 주시는 중대장님 앞에서 망발을 내뱉으며 감히 군 지휘관의 자세를 논하다니, 아무리 생각해도 결례를 범한 것 같았다.

"죄송합니다. 중대장님."
"뭐가 죄송해? 틀린 소리가 하나도 없는데."
"아, 네. 감사합니다."
"네가 뭘 또 감사하냐? 내가 오히려 너에게 고맙구나."
"아닙니다."
"너와 이런 대화를 나누는 것도 오늘이 마지막이구나."
"네? 무슨 말씀이십니까?"
"중식 식사가 끝나면, 배정된 교육연대로 이동하게 될 거야."
"네?"
"이제 군인답게 정식으로 군사 훈련을 받아야지."
"네…."
"O대위는 내가 따끔하게 혼내 주겠다. 그나저나 네가 교육연대에서 지낼 한 달 만이라도 매주 성당에서 볼 수 있으면 좋겠다. 그래야 덜 염려할 수 있을 것 같기도 하고. 내가 요즘 네 녀석 때문에 잠을 설친다. 대부가 되어 주겠다는 제의는 아직 유효하다."
"중대장님, 아무 걱정하지 마십시오."

"걱정할 수밖에 없게 만들어, 너라는 놈은. 이제 나가 봐."

"네. 충성."

"충성."

얼떨떨한 마음으로 내무반에 돌아왔을 때만 해도 나는 내가 입소대대를 떠난다는 것을 실감하지 못하고 있었다. 그리고 친형처럼 살갑게 대해 주셨던 입소대대 중대장님을 두 번 다시 뵙지 못하게 될 줄은 상상조차 하지 못했다.

3/4.

교육연대의 내무반에 들어갔을 때, 가장 먼저 눈에 띄었던 것은 관물대 위에 놓인 철모였다. 각각의 철모에는 순차적으로 번호가 붙어 있었고, 조교나 교관은 그 번호로 훈련병을 호명하였다. 나는 127번이었다. 불혹의 나이가 되어도 지금까지 머릿속에 뿌리박혀 있는 네 가지 고유 식별 번호가 있는데, 다름 아닌 주민 등록 번호, 학번, 군번, 그리고 훈련병 시절의 철모 번호이다.

교육연대로 이동한 지 채 일 분도 지나지 않아서 나는, 내가 입소대대 중대장님께 그토록 불평을 해 대던, 입소대대가 사실상 낙원이었다는 것을 비로소 깨닫게 되었다. 교육연대에서는 심지어 훈련병의 대답 소리나 관등 성명을 대는 목소리가 작아도 즉각 단체 얼차려가 주어졌다. 무려 이십일 년 전의 경험이라, 오늘날의 상황과 다소 차이가 있겠지만, 당시에 만연한 문제는 얼차려 중에 구타 및 가혹 행위가 병행된다는 점이었다.

만약 제자리 뛰기나 온몸 비틀기가 PT(Physical Training) 훈련을 가장한 얼차려였다면, 뒷짐을 진 채 머리를 땅바닥이나 치약 뚜껑 위에 대고 엎드려서 버티는 이른바 원산폭격이나, 주먹을 쥐거나 깍지를 낀 채 해야 하는 엎드려뻗쳐, 그 외에 쭈그려 뛰기, 오리걸음 등등은 얼차려를 가장한 가혹 행위와 다를 바 없다고 여겨졌다. 얼차려를 받던 중에 푸드덕거리며 땅바닥이나 침상 바닥으로 엎어지거나 쓰러지고 떨어질 때마다, 해당 훈련병은 욕설과 함께 날아오는 조교나 교관의 군홧발에 몸을 맡겨야 했다. 특이하게도 손을 사용하여 훈련병을 구타하거나 훈련병의 따귀를 때리는 조교나 교관은 단 한 명도 없었는데, 굳이 얼굴 부위를 때린다고 하면, 철모로 머리를 얻어맞는 정도였다.

조교나 교관에 의해 툭하면 자행되던 구타 및 가혹 행위는 유독 특정 훈련병에게 집중되었는데, 이유는 간단했다. 마지막 반복 구호를 매번 혼자서 외치거나 다른 훈련병이 엎드릴 때 홀로 일어서는 등, 지시를 잘 이해하지 못하여 매번 튀는 언행을 하는, 소위 고문관으로 불리는 훈련병이 최소한 한 명 이상 존재했기 때문이었다. 단체로 얼차려가 주어질 때는, 여기저기서 정신을 똑바로 못차린다며 고문관의 배나 엉덩이, 허벅지 등이 조교나 교관의 군홧발에 의해 어김없이 걷어차였다.

일단 고문관으로 불리게 되면, 동기 훈련병에게 피해를 준다는 명목으로 소속 집단에서조차 따돌림을 당하기 십상이었는데, 당시에 초·중·고 학창 시절에도 존재하지 않았던 왕따 현상이 군대에서는 이미 고문관이라는 통칭으로 존재하고 있었다.

다행스럽다고 표현하는 것이 과연 적절할지 모르겠지만, 나는 교육연대에 배치된 후에, 이삼일 동안, 마지막 반복 구호를 외치는 실수 없이 하루하루를 큰 목소리로, 평범하게 이어 가고 있었다.

그러던 어느 날 밤에 취침 점호를 마치고 자리에 누운 지 얼마 되지 않아서, 누가 철모로 내 머리를 내리쳤다.

"127번 훈련병…."
"조용히 안 해, 이 새끼야."

활동복 차림으로 침낭 속에 누워 있다가 벌떡 일어나서 관등성명을 대던 내게 기간병은 눈을 희번덕거리며 따라오라고 말했다. 나는 영문도 모른 채 활동화를 신고 앞머리를 문지르며 기간병의 뒤를 쫓아갔다. 기간병이 나를 데리고 간 곳은 다름 아닌 교육연대의 중대장실이었다. 입소대대의 중대장실과 흡사했다. 다른 것이라고는 책상 뒤에 앉아 있는 사람이 다를 뿐이었다. 책상 위에는, 군대에 입대한 이후 느낀 점을 허심탄회하게 적으라며 훈련병들에게 나누어 줬다가 다시 거두어 간, 소감문들이 어지럽게 널려 있었다.

"127번, 진심으로 본인이 생각한 바를 적은 것이 맞아?"

"127번 훈련병….”

“마른 군기 쥐어짜시지 마시고, 묻는 말에 대답이나 하세요.”

“네. 제가 생각한 바를 적은 것이 맞습니다.”

“내가 너 같이 머리에 똥만 찬 새끼들을 한두 명 겪은 줄 알아? 야, 밖에 누가 있냐? 당직 사관.”

“충성. 상병 ○○○. 당직 사관은 조금 전에 순찰하러 나갔고, 제가 금일 당직 하사입니다.”

“당직 사관한테 삐삐 치고, 127번은 훈련복으로 갈아입혀서 다시 상황실로 데려와.”

“네, 중대장님. 충성.”

아까 철모로 내 머리를 내리쳤던 당직 하사는 나를 내무반으로 다시 데려가더니, 훈련복으로 복장을 제대로 갖춰서 입으라고 소곤거리며 윽박질렀다. 내가 훈련복 하의 밑단에 고무링까지 제대로 착용했는지 확인을 마친 당직 하사는 내게 군모를 똑바로 쓰라고 속삭인 뒤에 대뜸 군홧발로 허벅지를 걷어찼다.

상황실에 도착하자마자, 하사관 한 명이 내 팔을 억세게 잡더니 따라오라고 했다. 그 하사관의 다른 손에는 내가 쓴 소감문이 들려 있었다. 나는 그 하사관에게 이끌려 막사 밖으로 이동하였고, 문득 달빛도 없는 밤하늘을 올려다보니 수많은 별들이 반짝이고 있었다. 밑도 끝도 없이 비현실적으로 아름답다는 생각과 불길한 예감이 뒤죽박죽된 상태에서, 말로만 듣던 영창에 가게 되는 것이 아닌가 싶었다. 내게 “강해져야 한다.”며 연신 눈물을 훔치시던 아버지도 생각이 나고, "나는 우리 아들을 믿어."라고 미소를 지으시던 어머니도 생각이 났다. 짓궂게 웃으시며 "오늘은 별 일 없었지?"라고 물으시던 입소대대 중대장님도 떠올랐다. 나도 모르게 마음이 편안해졌다. 더 이상 불안하지도, 두렵지도 않았다. 어딘가로 무작정 이유도 모른 채 끌려가는 상황에서, 오히려 평온하게 점점 맑아지는 내 마음이 제일 엉뚱하다는 생각이 들었다.

당직 사관으로 추측되는 그 하사관은 막사 인근의 한 건물로 나를 끌고 가더니, 상황실과 유사하게 생긴 여러 방들을 거쳐, 아무도 없는 어두운 방에 나를 밀어 넣었다. 중대장실보다 큰 방이었는데 입구 이외에도 문이 여럿 있었다. 문 밖에서 인기척이 들리자, 나의 팔을 꽉 잡고 있던 하사관은 손을 내리고 차렷 자세를 취했다. 곧 문이 열리고 불이 켜지더니 연륜이 깊어 보이는 장교가 들어와 깔끔하게 정돈된 커다란 책상 뒤에 앉았다.

"충성."
"중대장한테 보고 받았어. 이리 가지고 와 봐."
"네."
"이름이 뭐야?"
"하사 OOO."
"너 말고 쟤 말이야."
"127번 훈련병 OOO."
"그래. OO이는 여기 앞에 의자에 앉고, O하사는 나가 있어."

"네, 부연대장님. 충성."

"많이도 썼네."

　희미한 불빛 아래에서 중령 계급장이 번득이고 있었다. 긴장을 해야 정상인 상황인데 왠지 모르게 나는 차분했다.

"그래. 구타와 가혹 행위가 있다고?"
"네. 그렇습니다."
"훈련병의 인격을 조교나 교관이 모독하고 있다고?"
"네. 그렇습니다."
"언어폭력과 구타, 가혹 행위 등은 반드시 근절되어야 하고, 너는 이를 위하여 어떠한 희생도, 필요하다면 죽음도 무릅쓰겠다고?"
"네. 그렇습니다. 인간답게 살 수 없다면 차라리 죽는 것이 낫다고 생각합니다."
"너무 극단적인 생각이 아닐까?"
"네. 그렇지만 극단적인 상황이기도 합니다."
"혹시 대학교에서 학생 운동을 하다가 군에 들어왔나?"
"그런 적 없습니다."
"부친께서 사업체를 운영하고 계시면, 부유한 집안의 자제인 것 같은데, 맞나? 게다가 맏이라고?"
"네. 그렇습니다."
"외고 출신에 명문대를 다니다가 자원입대를 한 전도유망한 부잣

집 큰아들이 왜 이런 생각을 하고 이런 글을 썼는지 도무지 이해할 수가 없어서 묻는 말이야. 혹시 가정에 무슨 문제가 있나?"

"화목한 가정에서 자랐습니다. 가족과 상관없습니다."

부연대장님은 무표정한 얼굴로 나를 뚫어지게 쳐다보셨다. 마치 희한한 골동품을 감정하시듯이, 위작 여부를 감별하시듯 내 얼굴을 찬찬히 바라보시더니 이내 고개를 가로저으셨다.

"안타깝게도, 내가 도와줄 수 있는 것이 하나도 없어."

"잘 못 들었습니다."

"설마 여태껏 구타와 가혹 행위를 고발한 병사가 ○○이 외에 아무도 없었고, 정의감에 불타서 잘못된 관행을 바로잡겠다며 나서는 장병이 지금까지 단 한 명도 없었다고 착각하는 것은 아니겠지?"

"외람된 질문입니다만, 잘 이해가 되지 않습니다. 그렇다면 왜 아직까지 근절되지 않고 있는 것입니까?"

"아무리 하지 말라고 해도, 하는 장병이 생기는 것을 어떡하나?"

"조금 더 강력하게 지시하시면 되는 것 아닙니까?"

부연대장님은 나의 고지식하고 되바라진 말과 태도가 갑갑하시다는 듯 탄식하셨다. 나도 모르게 고개를 돌려 외면하고 말았다.

"까놓고 이야기해서, 나는 고작 중령에 불과한 부연대장이야. ○○이 말대로, 내가 지금 당장 우리 ○○연대에서 구타와 가혹 행위를, 인격 모독과 언어폭력을 금지시키고, 이를 어기면 엄벌에 처하겠다고 더 강력하게 지시한다고 치자."

"네."

"그럼 우리 육군훈련소의 다른 연대에서 발생하는 구타와 가혹 행위를, 인격 모독과 언어폭력을, 지휘 권한도 없는 내가, 과연 근절시킬 수 있을까?"

"육군 훈련소장님이시라면 하실 수 있으시지 않습니까?"

"그럼, 다른 사단에서 발생하는 구타와 가혹 행위를, 인격 모독과 언어폭력을, 지휘 권한도 없는 육군 훈련소장님께서, 어떻게 근절시키실 수 있을까? 무슨 말인지 이해되나?"

"네. 하지만…."

"우리 OO연대의 장병은 물론이고, 수십만 명에 달하는 우리 국군 장병들이 구타와 가혹 행위에서, 인격 모독과 언어폭력에서 벗어나려면, 참모 총장님을 비롯하여, 국방부 장관님, 결국 대통령님까지 모두 나서셔야 한다는 말이야."

"필요하다면, 그렇게 되어야 한다고 믿습니다."

나는 부연대장님께서 책임을 회피하실 목적으로 논점을 흐리신다는 의심마저 언뜻 품었는데, 진지한 표정으로 차분하게 이어 가시는 말씀에 나의 짧은 생각을 바꾸게 되었다.

"그래도 근절되기 힘들 거다."

"왜 그렇습니까?"

"전 장병이 모두 뼈저리게 느껴서 스스로 근절하지 않는 한, 아무리 상급자가 지시를 하고 금지를 시켜도 불가능하다는 말이다."

나는 아무런 반박도 할 수 없었다. 그러고 보니 내무반이나 막사에도 '구타 및 가혹 행위 근절'이라는 문구가 적혀 있었다. 어쩌면 나는 철부지처럼, 자기 혼자만 의인인 양, 입방정을 놀며 부연대장님께 떼를 쓰고 있었는지도 모른다.

"딱 한 가지 방법이 있기는 있는데, 과연 네가 할 수 있을까?"
"제가 뭘 어떻게 해야 합니까?"
"구타와 가혹 행위, 인격 모독과 언어폭력의 근절을 위해서라면 어떠한 희생도, 필요하다면 죽음도 무릅쓰겠다고 했지?"
"네. 그렇습니다."
"진심인가?"
"진심입니다."
"후회하지 않을 자신이 있나?"
"후회하지 않겠습니다."
"되돌릴 수 없게 될 지도 몰라. 신중하게 생각하고 판단해라."
"말씀해주십시오."
"지금 내 앞에서 죽어라."
"네. 그렇게 하겠습니다."

단호한 목소리로 말씀하시던 부연대장님께서 서슬이 퍼런 눈빛과 비정하고 매서운 눈초리로 나를 바라보셨다. 홧김에 함부로 말씀하신 것도, 희언도 아니라는 것을 나는 직감할 수 있었다.

무엇보다 가장 이상했던 것은, "지금 내 앞에서 죽어라."하고 부연대장님께서 비장하게 말씀하신 그 순간에, 마치 결코 피할 수 없는 예정된 운명의 갈림길에 서 있는 것처럼, 언젠가 이런 상황이 반드시 올 것이라는 것을 내가 무의식적으로 이미 알고 있었다고 느낀 점이었다. "네. 그렇게 하겠습니다."라는 나의 말은 객기를 부린 것도, 희언을 한 것도 아니었다. 아무 망설임 없이 자연스럽게, 정해진 각본대로 대사를 내뱉은 것에 불과했다.

"야, 당번병."
"병장 OOO."
"취사반에 가서 칼 가지고 와."
"네? 아니, 죄송합니다. 잘 못 들었습니다."
"이 새끼야, 지금 당장 취사반에 가서 칼 가지고 오란 말이야."
"네. 알겠습니다."

당번병에게 버럭 소리를 지르신 뒤에 부연대장님은 한동안 아무 말씀도 없으셨다. 불과 열흘 전에 입소대대 중대장님께 "우리 남자 대 남자로 계급장 떼고 이야기합시다."라고 말하던 내가 지금 부지불식간에 OO연대 부연대장님과 남자 대 남자로 계급장 떼고 목숨을 건 대화를 하고 있었다.

노크 소리가 들리고 나서, 당번병이 부연대장실로 들어오더니 무지막지하게 큰, 칼날이 네모난 칼을 부연대장님의 책상 위에 올려 놓았다. 당번병의 손이 후들거리고 있었다.

"나가 있어."
"충성."

부연대장님은 책상 위에 덩그러니 놓여 있는 칼을 힐끔 보시더니 깊게 한숨을 쉬셨다.

"네가 만약 이 칼로 팔목을 그어서 지금 이 자리에서, 내 앞에서 목숨을 끊는다면, 나는 제일 먼저 주요 일간지와 방송국 기자들에게 전화를 하겠다. 그리고 네가 쓴 글도 기자들에게 보여 주겠다. 내가 증인이 되어, 네가 구타와 가혹 행위, 인격 모독과 언어폭력의 근절을 위하여 스스로를 희생하였다고 증언하겠다. 내가 해 줄 수 있는 것은 이것이 전부다. 만약 기사가 나가고 뉴스가 보도되어 전 국민이 분노하고 대통령이 나선다면, 어쩌면 네가 원하는 대로 구타와 가혹 행위가, 인격 모독과 언어폭력이 근절될 지도 모르겠다. 그러나 결국 아무것도 바뀌지 않을 수 있다. 너의 의로운 죽음이 이른바 개죽음이 될 수도 있다. 앞길이 창창한 젊은이가, 올바른 가치관을 가진 청년이 귀한 생명을 함부로 하면 안 된다. 충동적으로 행동하지 말고, 다시 한 번 잘 생각해라. 부모님을 생각하고, 동생들을 생각하고, 너를 아끼고 사랑하는 수많은 사람들을 생각해라. 너의 마음만은 내가 잊지 않고 기억하마. 약속한다."

"뵙게 되어 영광이었습니다."

나는 책상 위에 놓여 있는 칼을 들어 왼쪽 팔목에 가져다 내고 눈을 감고 힘껏 그었다. 우당탕거리는 소리와 함께 느닷없이 눈에 별이 보였다. 눈을 떠보니 부연대장님께서 무릎방아를 찧으신 채 책상 위에 계셨고, 칼은 바닥에 떨어져 있었다. 팔목보다 뺨이 더욱 욱신거렸다. 부연대장님은 내 왼쪽 팔을 자신의 몸 쪽으로 당겨서 살펴보고 계셨다. 팔목은 벌겋게 부어 있을 뿐 신기하게도 피 한 방울 나지 않고 있었다. 미미한 상처조차 없었다. 나도 그 상황이 어이없었지만 부연대장님 역시 얼떨하신 표정으로 내 얼굴과 내 팔목을 그리고 바닥에 떨어진 커다란 네모난 식칼을 번갈아 보셨다. 부연대장님께서 책상 위에서 내려오시더니, 바닥에 떨어진 칼을 집으셔서 책상 서랍 안으로 집어 던지셨다.

"괜찮은 거지?"
"네. 부연대장님, 그런데 저는 분명히…."
"그래. 나도 봤다. 아무 말 마라."
"네."
"일단 자리에 앉자."
"네."

부연대장님은 당번병에게 청심환을 찾아서 물 두 잔과 한꺼번에 같이 가져오라고 하셨다. 당번병이 들어오자, 부연대장님은 당직 군의관에게 연락을 취해서 영문 원서 몇 권을 가지고 부연대장실로 올라오도록 전달하라고 지시하셨다.

"많이 놀랐지? 일단 이거 반쪽을 물이랑 먹어라."
"괜찮습니다."
"나도 먹을 거니까, ○○이도 얼른 먹어."
"네. 알겠습니다."

부연대장님은 갑자기 책상 서랍 안을 여시더니, 아까 던져 넣으셨던 식칼을 다시 한 번 확인하시는 것 같았다.

"짧지 않은 군 생활을 하며, 나는 많은 병사들을 만나 봤다. 내가 그 젊은이들의 사이를 스쳐 가듯이 그들도 나를 거쳐 간다. 별의별 사람들을, 그것도 혈기 왕성한 청년 위주로 모아 놓은 곳이 군대다. 그만큼 통제하기도, 지휘하기도 쉽지 않다. 복무를 하다 보면, 가끔 ○○이처럼 세상을 바꾸겠다며 나서는, 의협심에 불타는 장병이 나온다. 지시를 거부하거나, 자해를 하거나, 단식을 하거나, 심지어 자살을 시도하기도 하지. 나에게 그런 장병이 보고되면, 나는 오늘처럼 내 앞에서 죽어 보라고 한다. 내가 당번병에게 맡긴 칼이 있다. 날이 없는 모조 칼이지. 내가 취사반에 가서 칼을 가지고 오라고 하면 당번병은 그 모조 칼을 꺼내 오기로 서로 약속이 되어 있다. 그런데 내가 당번병에게 휴가를 주는 바람에 며칠 전부터 다른 병사가 대신하여 근무 중인 것을 깜빡하고 있었다. 그래도 모조 칼에 대해 인수인계가 되지 않았을 것이라고는 추호도 의심하지 않았다. 당번병이 칼을 들고 오는데, 사시나무 떨 듯 긴장하고 있더구나. 나는 그제야, 책상 위에 놓인 낯선 칼을 보며, 내가 ○○이의 고귀한 생명을 담보로 대화하고 있다는 것을 깨달았다."

"네…."

"생각보다 꽤 많은 젊은이들이 이 자리에 왔었다. 그러나 단 한 명도 모조 칼을 집어든 적이 없었다. 내가 지금에 와서 그들을 가짜라고 비난하는 것은 아니다. 펜은 칼보다 강하다고 하지? 가족은 펜보다 강하다. 어떤 정의도 사랑하는 가족 앞에서 무기력하다."

"무슨 말씀인지 이해합니다."

"○○이가 칼을 집었을 때, 나는 나도 모르게 기도를 하고 있었다. 나의 모든 것을 걸고 내가 이 청년을 지켜 주겠으니, 지금은 이 청년을 저 칼로부터 지켜 달라고, 나는 그렇게 기도를 했지."

"그런 마음이신 줄 몰랐습니다. 심려를 끼쳐 드려 죄송합니다."

문을 두드리는 소리와 함께 흰 가운을 입고 안경을 쓴 장교가 꽤 무거워 보이는 책 몇 권을 들고 부연대장실로 들어왔다.

"그래, 여기 와서 옆에 앉아 봐. 어떤 책들인가?"

"의학 서적 몇 권과 연구 논문 몇 편을 가지고 왔습니다."

"여기 앉아 있는 훈련병이 읽을 수 있는 수준인가?"

"의대 본과생이라도, 쉽게 이해하기 어려울 것입니다."

부연대장님께서는 가장 두꺼운 책을 고르셔서 내 앞에 중간 부분을 펼쳐 놓으시더니 나에게 소리 내어 읽고 해석하라고 하시면서 당직 군의관으로 추측되는 장교에게 내가 제대로 읽고 해석하는지 꼼꼼히 확인하라고 지시하셨다. 해당 페이지를 끝내고 나면, 부연대장님은 다시 아무 데나 펼치셨고, 그렇게 당직 군의관이 가지고 온 영문 서적들이 모두 동났다.

"얘가 얼마나 똑똑한 건가?"

"뭐라고 말씀을 드려야 할지 모르겠습니다만, 저희 학교 의대 후배보다 더 낫습니다."

"얘는 의대생도 아니야."

"천재거나, 수재거나, 뭐 그런 거 아니겠습니까?"

"나도 그렇다고 생각해. 제삼자의 의견을 들어 봐야겠다 싶었지."

부연대장님은 당번병을 호출하시더니 아닌 밤중에 홍두깨처럼 자기 밑으로 다 집합시키라고 말씀하셨다. 부연대장실 옆에 있는 회의실로 ○○연대 소속 장교들과 하사관들이 까칠한 얼굴로 모이기 시작했다. 당번병이 부연대장님께 상황실에 근무하는 당직자를 제외한 전원이 다 집합했다고 전하자, 부연대장님은 당직 군의관과 함께 회의실로 이동하셨다. 회의실 문이 열려 있었던 까닭에, 나도 본의 아니게, 부연대장님의 뒷모습을 보며 대화를 엿듣게 되었다.

"금일 ○○시에 ○중대장으로부터 문제 사병이 발생했다는 보고를 받았고, 그 훈련병이 쓴 소감문을 근거로 조금 전까지 내가 직접 면담을 진행하였다. 당직 군의관과 함께 확인한 바에 의하면, 국가의 장래에 필요한, 대단히 출중한 인재가 분명하다는 결론에 이르렀다. 하지만 현재 그 훈련병은 병영 생활 중 목격하게 된 예기치 못한 상황에 예민해진 것으로 보인다. 누구나 그렇지 않은가. 환경이 바뀌고, 낯선 이들과 함께 생활하게 되면 누구든 그럴 수 있다. 우리에게는, 사병들이 무사히 군 복무를 마치고 사회로 복귀하여 국가에 기여할 수 있도록 지켜줄, 의무가 있다. 훈련병의 소감문에 따르면, 구타와 가혹 행위, 더 넓게는 인격 모독과 언어폭력까지도 장병 간에, 특히 조교와 교관에 의해 발생하고 있음을 잘 알 수 있다. 금일 이 시간부로 ○○연대에서 장교와 하사관은 물론, 사병 간에도 구타와 가혹 행위, 인격 모독과 언어폭력 등이 근절되도록 한다. 나의 지시를 어기거나 이행하지 않는 장병이 적발된다면, 나는 그 책임을 물을 것이고, 나의 모든 것을 걸고, 반드시 처벌되도록 할 것이다. 그리고 마지막으로, 관련하여 문제를 제기한 127번 훈련병에게 일체의 제재나 처벌을 금할 것을 당부한다. 만약 127번 훈련병이 정당한 지시나 훈련을 거부한다면, 즉시 내게 데리고 와라. 내가 직접 살펴보고, 관련하여 조치하도록 하겠다. 그리고 나의 지시 사항이 제대로 이행되고 있는지 확인하기 위하여, 나는, 127번 훈련병이 육군 훈련소를 떠나기 전까지, 매일 127번 훈련병을 부연대장실로 호출하여 면담할 것이다. 이상. 해산해라."

말씀을 마치신 부연대장님께서 훌쩍 안으로 들어오시더니 회의실과 연결된 문을 닫으셨다. 다시 우리 두 남자만 남았다.

"살면서 세상을 바꾸기 위해 자신의 목숨마저 무릅쓰는 사람은 참 드물다. 그런 의미에서 나는 OO이가, 비록 나보다 나이가 어리지만, 존경스럽고 대견하다."

"아닙니다."

"만약 누가 구타와 가혹 행위, 인격 모독과 언어폭력의 근절이라는 대의를 위하여 스스로를 희생한다는 유서를 남기고 세상을 떠난다면, 이후에 어떤 일들이 벌어질까? 아마 모두 거창한 핑계를 댄 것이라고 치부하겠지. 원인을 제공한 가해자가 있다면, 그 가해자를 처벌하는 것으로 일단락되어 흐지부지 종결될 테고, 특별한 가해자마저 없다면, 세상은 뭔가 다른 이유를 찾아낼 거다. 연인과 헤어졌다든가, 가정불화라든가, 과실 회피라든가, 금전적인 사유라든가, 정신 질환이라든가, 사실 여부와 관계없이 어떤 근거라도 상관없다. OO이가 원하는 결말은 아니겠지만, 아쉽게도 한 사람의 숭고한 희생만으로 세상은 쉽게 바뀌지 않는다."

"네. 무슨 말씀인지 알겠습니다."

"그래서 세상을 올바르게 바꿀 수 있는 아주 드문 기회가, 세상을 올바르게 바꿀 수 있는 아주 드문 사람에게 주어지는 것은, 아예 불가능하다고 볼 수밖에 없지."

"네…."

"나는 아까, 네가 그럴 수 있는 사람이라는 생각을 했다. 그래서 일단 살아남아야 하는 것이다. OO아, 무슨 말인지 알겠니?"

"그렇지만, 부연대장님, 살아남기 위하여 수단과 방법을 가리지 않고, 옳고 그름도 따지지 않는다면, 그런 비참한 삶에 도대체 무슨 의미가 있으며, 만약 그런 인생을 산 사람이 세상을 바꾸게 된다면, 도리어 세상은 더 혼란스러워지는 것 아닙니까?"

"수단과 방법을 가리지 말고 무조건 살아남으라는 말이 아니다. 옳고 그름을 따지지 말고 무조건 살아남으라는 말도 아니다. 단지 잊지 말라는 말이다. 바꿀 수 있는 기회가 올 때까지, 잊지 말고, 살아남으라는 말이다. 조금 전에 OO이가 수십만 명의 알지도 못하는 전우들을 위해, 스스로 자기 자신을 기꺼이 희생할 수 있다고 믿고, 또 실제로 행동으로 옮겼던 순간을, 그 마음을, 그 가치관을 잊지 말고 기억하며 살아남으라는 말이다. 세상을 올바르게 바꿀 수 있는, 아주 드문 기회가 올 때까지, 살아남으라는 말이다."

"하지만, 부연대장님…."

"쉽지 않은 길이다. 아무 보상도 주어지지 않는 길이기도 하지."

"저는 그냥 지금처럼 그냥 제가 생각하는 대로 살겠습니다. 드문 사람이 되어 드문 기회에 연연하고 싶지 않습니다."

"그래. 알겠다. 어쨌든, 육군 훈련소에 있을 때까지는 내가 OO이를 지켜주겠다. 내가 약속하마. 단, OO이가 무사히 군 생활을 마치고 사회로 복귀하게 된다면, 장차 국가에 기여하는 큰 인물이 되기를 바란다. 언젠가 내가 늙고 무력해져서 세상의 도움이 필요할 때, 그때는 OO이가 나를, 나와 같은 사람들을 지켜줄 수 있는 사람이 되어 있으면 좋겠구나."

말씀을 마치신 부연대장님은 나를 의무실로 데리고 가셨다. 당직 군의관은 자리에 없었고, 놀란 당직 의무병만 황급히 일어나 부연대장님께 경례를 했다.

"내 조카인데, 많이 놀란 일이 있어서 데려왔으니까, 잘 자는지 지켜보고, 아침 점호 전에 깨워서 내무반으로 돌려보내라. 지금 O중대 상황실에 연락해서 얘 여기서 재운다고 전달하고."
"네, 알겠습니다. 충성."

잠에 들기 힘들 것이라고 생각했지만, 의무실에 있는 빈 침대에 눕자마자 나는 곯아떨어졌다. 처음 만난 사람이 삼촌이 되어 준, 수많은 별이 빛나던 그날 밤은 그렇게 지나갔다.

이튿날부터 나는 자고 일어나니 세상이 변했다는 말을 처음으로 실감하게 되었다. 온갖 욕설을 내뱉던 조교와 교관이 훈련병에게 더 이상 상스러운 언어를 사용하지 않았고, 얼차려는 번번이 이어졌지만, 그 누구도 군홧발로 얻어맞지 않았다. 나는 소속 중대의 고참병인 O병장과 함께 매일 밤에 부연대장님께 불려갔고, 부연대장님은 나와 대화를 마치신 뒤에 항상 나를 공중전화 박스로 데리고 가셨다. 나는 의무적으로 매일 한 시간 내내 가족과 통화해야 했다. 이십일 년 전에 육군 훈련소에서 겪은 경험담이라 현재 상황과 상이하겠지만, 당시 훈련병의 공중전화 사용은 금지되어 있었다. 공중전화 박스에 기간병들이 줄을 길게 서 있을 때마다, 부연대장님은, 내게 전화를 걸라고 전화카드를 주신 뒤에, 기간병들에게 멀리 떨어진 나무를 가리키시며 선착순 집합을 시키셨다. 어느 날부터 밤 시간에 공중전화 박스는 텅 비어 있게 되었다.

내가 매일 전화를 하자 반갑게 받으시던 어머니조차, 일주일이 채 지나기도 전에, 집에 전화 좀 그만하라며 역정을 내셨다. 그래서 나는 같은 분대 동기들에게, "내가 매일 한 시간씩 전화하는 임무를 부여받았는데, 혹시 가족이나 애인, 친구 등에게 전할 말이 있으면, 연락처와 이름 그리고 전달 내용을 적어서 달라."고 했다. 그 뒤로 나는 매일 한 시간씩 공중전화를 통해, 동기들이 사랑하는 가족과 지인들에게 소중한 안부와 사연을 전하기 시작했고, 그렇게 내게 몰래 쪽지를 건네는 동기들이 하나둘씩 점점 늘어나더니, 내 무반별로, 소대별로, 중대별로 나뉘었던 훈련소 동기 전원과 전우의 우정을 나눌 수 있게 되었다. 나는 부연대장님께서 매일 부여하여 주신 한 시간의 특권을 부연대장님 몰래 내가 원하는 방식으로 바꾸어 육군 훈련소를 떠날 때까지 전우들을 위해서 사용하였다.

한편 몇몇 장병들에게 나는 눈엣가시 같은 존재가 되었다.

몇몇 하사관들은 "우리도 먹고 살아야 하는 불쌍한 인생인데, 너 하나 잘 먹고 잘살겠다고 네가 우리 삶을 얼마나 고달프게 바꿔 놓았는지 알기는 아니? 불알만 큰 이기적인 새끼야?"라며 나를 볼 때마다 핀잔을 놓았고, 내가 소속된 분대나 소대가 식사대기를 할 때마다, 매번 마지막으로 입장시킨 뒤에 서둘러 집합을 시키는 기간병들도 생겼으며, 몇몇 장교들은 미운 오리 새끼 한 마리 때문에 특별대우를 받는 것이라며, 타 소대나 중대의 동기들보다 더 빈번히 더 혹독한 얼차려를 주는 수단을 부려서 내가 소속된 소대나 중대 동기들과 내가 멀어지도록 꾀었다.

누구의 지시든 상관없이 얼차려와 가혹 행위의 구분이 모호하다고 생각될 때면, 나는 양반 다리를 하고 자리에 앉았다. 내가 양반 다리를 하고 앉아 있으면, 어김없이 얼차려를 지시한 교관이 다가와서, "너 하나 때문에 다른 전우들이 불필요하게 희생을 당하고 있는데, 네가 혼자만 살겠다고 얕은꾀를 쓰면 쓸수록 너의 전우들이 대신 감내해야 할 고통의 시간은 더 늘어난다."고 윽박질렀다. 나는 그럴 때마다, "옳지 않은 지시마저 무작정 따르는 것은 군인 정신이 아니며, 전우들은 옳지 않은 지시를 내린 지휘관을 원망하면 원망했지, 옳지 않은 지시를 정당히 거부하는 전우를 결코 원망하지 않을 것이라고 믿습니다."라고 대꾸했다.

교관에 따라 다르기는 했지만, 다행스럽게도, 가혹 행위와 유사한 얼차려도 조금씩 줄어들게 되었고, 서로 전우가 된 동기들과 끈끈하게 잘 지내는 나의 모습에, 나를 핑계 삼아 얼차려를 주는 일도 점점 의미를 잃게 되었다.

그러던 중에, 사격훈련이 끝나고 특등 사수로 127번이 호명되자, 자리에 있던 교관들은 "안 그래도 무서운 새끼가 총까지 잘 쏜다."며 "저 새끼는 철저히 감시해야 한다."고 입을 모으기도 했다.

육군 훈련소의 생활에 익숙해질 무렵에 마지막 훈련이자 훈련의 꽃이라고 불리던 행군이 다가왔다. 부연대장님으로부터 나를 관리

하는 임무를 부여받은 O병장이 행군 당일에 나를 매점[PX, Post Exchange]으로 데리고 갔다. 당시에 훈련병의 매점 물품 구매는 일요일에 한하여 허용되었고, 소대별로 차출된 한 명의 훈련병이 기간병의 통제와 인솔에 따라 중대별로 집합하여 매점을 방문한 뒤에, 소대별 물품을 단체 구매할 수 있었다. O병장은 평일에도 곧잘 나를 매점에 데려가서 군것질거리를 사줬는데, 나는 그때마다 전우들과 같이 먹겠다고 떼를 써서, 월급이 채 일만 원도 되지 않았던 O병장에게 우격다짐으로 얻은 과자 한 박스를 들고, 개선장군처럼 내무반으로 돌아오곤 했었다. 한 박스의 과자라고 해도, 워낙 중대 인원이 많다 보니 여럿이 과자 한 봉을 나눠먹어야 했다.

행군 당일에 매점에서, O병장은 자신이 완전 군장 상태를 점검할 예정이니, 이른바 건빵 주머니로 불리는 하의 주머니에 숨겨 두었다가 힘들 때마다 꺼내서 먹으라고 초콜릿 바 한 통을 건네줬다. 내가 "제 돈으로 조금 더 사도 괜찮겠습니까?"라고 묻자, 그렇게 하라고 했다. 그래서 나는 초콜릿 바를 두 통이나 더 샀다. O병장은 그런 나의 모습을 보며, "하루 밤만 걸으면 끝난다. 무슨 초콜릿 바를 그렇게 많이 사냐?"며 혀를 찼다. 내무반으로 돌아온 뒤에 나는 건빵 주머니와 군장 주머니에 초콜릿 바를 적당히 나눠서 숨기기 시작했다. 아무리 O병장의 군장 검사를 통과한다고 해도, 여전히 나를 눈꼴시어 하는 몇몇 조교나 교관에게 적발되어 O병장을 곤란하게 만들고 싶지 않았다. 완전 군장 상태에 두툼한 초콜릿 바 세 통이 더해지니, 괜한 짓을 했나 싶을 정도로 몸이 무거웠다.

드디어 행군이 시작되었고, 얼마나 걸었는지 모를 정도로, 시간의 흐름에도 무뎌졌다. 함께 걷던 일부 동기들의 발걸음이 느려지는가 싶더니 이내 뒤로 쳐지는 동기들이 생겨나기 시작했다. 나는 그럴 때마다 조용히 다가가서 초콜릿 바를 하나씩 꺼내 주기 시작했다. 망설이다가 초콜릿 바를 건네받은 동기들은 "근데 먹다가 조교나 교관한테 걸리면 어떡해?"하고 염려했다. 나는 "그럼 127번 훈련병이 줬다고 해. 그렇게 말해도 괜찮아."라고 안심시켰다.

한참을 걷는데, 마치 영화나 드라마처럼 눈이 내리기 시작했다. 산길과 비포장도로를 넘나들며 걷는 행군이었지만, 다행히 길이 미끄럽지 않았다. 별빛도 보이지 않는, 눈 내리는 밤에 행군을 하면서, 그 긴 시간 동안에 내가 무슨 생각을 했었는지 도무지 기억이 나지 않는다. 그냥 열심히, 대열에서 낙오되지 않기 위해 걸었다.

더 이상 초콜릿 바가 남지 않게 되었을 때, 행군을 하던 훈련병들에게, 비교적 평탄한 공터로 전원 집합하라는 소식이 전달되었다. 갑자기 조교 한 명이 "127번 어디 있어?"하고 소리를 질렀다. 초콜릿 바가 적발되었다고 생각한 나는, 드디어 올 것이 왔다고 생각하며 조교 앞으로 나갔다.

"네, 127번 훈련병 ○○○."
"따라와."

조교는 눈발이 흩날리는 공터의 외진 곳으로 나를 데려갔다.

지프차 한 대가 서 있었다. 부연대장님께서 차에서 내리셨다.

"충성."
"충성. 그래, 할 만 하니? 생각보다 잘 걷는구나."
"네, 그렇습니다."
"내가 너에게 평생 잊지 못할 추억을 하나 만들어주고 싶다."
"네, 알겠습니다."

부연대장님께서 보온병의 물을 종이컵에 따르시더니 커피 한 봉지를 넣고 휘휘 저으셨다. 종이컵에서 김이 모락모락 올라 왔다.

"자, 마셔라."
"네, 감사합니다."

눈발이 날리는 그날 밤이 특별했던 것은 아니었다. 그러나 이십일 년 전에 마셨던 그 종이컵에 담긴 커피에는 1995년 나의 겨울이 고스란히 담겨 있었다. 오줌을 참던 동기의 얼굴이 담겨 있었고, 눈물을 보이시던 아버지의 얼굴이 담겨 있었고, 미소를 지으시던 어머니의 얼굴이 담겨 있었고, 대부가 되어 주시겠다는 입소대대 중대장님의 얼굴이 담겨 있었고, 수많은 별들이 빛나던 그날 밤이 담겨 있었으며, 삼촌이 되어 주신 부연대장님의 얼굴이 담겨 있었다. 육군 훈련소에서 함께 지낸 전우들의 얼굴이 담겨 있었다.

4/4.

육군 훈련소를 퇴소하고 부산에서 후반기 교육을 마친 뒤에 나는 자대에 배치되었다. 1995년의 겨울에 일어났던 일들을 감안할 때, 나는 비교적 특별한 일 없이 무사히 자대에서 군 복무를 마쳤다고 할 수 있다.

툭하면 따귀를 때리던 선임 병사를 피해서 보급 창고에 숨었다가, 창고 안에서 잠드는 바람에, 혹시 탈영한 것 아니냐며 부대가 뒤집어진 적도 있었고, 인격을 모독하는 선임 병사에게 대들다가 적발되어 완전 군장 차림으로, 일주일 내내 일과시간 동안 연병장을 돈 적도 있었다. 그런 내게 어떤 선임 병사는 한동안, "대가리에 똥만 찬 부르주아 눈깔의 먹물을 쏙 빼주겠다."며 매일 밤마다 귀에 공갈 협박을 속삭이기도 했다.

페치카를 떼던 막사는 온수가 나오는 현대화 막사로 변모했으며, 그 사이에 대대장님과 중대장님께서 새로 부임하셨다. 두 분 다 훌륭한 야전 지휘관이셨는데, 다행스럽게도, 나의 단점보다는 장점만 골라내셔서 보셨다.

이등병 때에 영원히 멈춰있을 것만 같던 국방부 시계는 내가 분대장이 되자마자 마치 화살처럼 순식간에 지나갔다. 내가 분대장이 되었을 때, 나는 우리 중대 후임 병사들에게 "나에게 구타 및 가혹 행위를 당한 사람만 구타 및 가혹 행위를 할 수 있다."고 말했고,

적어도 우리 분대에서는, 아무도 구타와 가혹 행위를 하지 않았다. 나는 타 중대 소속 병사들에게 구타를 일삼던 타 중대 소속 장교를 선임 하사님과 대대장님께 보고하기도 했고, 첫 번째 시집과 마찬가지로 여전히 졸작에 불과하지만, 글을 쓰지 않겠다는 1995년의 다짐이 무색하게, 두 번째 시집을 발간하기도 했다. 내가 전역을 앞두고 상임 하사님께 "○상사님, 저 말뚝 박을까요?"하고 묻자, 선임 상사님은 소스라치게 놀라시더니, "우리 ○○이 같은 인재는 큰물에서 놀아야지, 군대같이 작은 물에 있으면 절대 안 돼. 그런 큰일 날 소리는 두 번 다시 하지 마라."라고 손사래를 치셨다.

휴가 때만 입고 신던 군복과 군화를 후임 병사에게 물려주고, 작업할 때 입고 신던 군복과 군화를 깨끗하게 손질하여 착용한 뒤에 전역 신고를 하러 다니자, "그래, 너답다."고 웃으시며 말씀하시는 부대 간부님들을 보며, 그래도 이십육 개월의 군 복무를 해피엔딩으로 마무리 지었다고 자위할 수 있었다.

나는 자대에 배치된 이후에 입소대대 중대장님과 교육연대 부연대장님께 편지를 써서 보냈지만, 아무런 답장도 받지 못했다. 휴가를 받으면 꼭 찾아뵈어야겠다는 생각은 어느새 제대를 하면 꼭 찾아뵈어야겠다고 바뀌었고, 언제부터인가 내가 사회에 기여할 수 있는 인재가 되면 꼭 찾아뵈어야겠다고 바뀌게 되었다.

그렇게 1995년의 겨울로부터, 어느새 이십일 년이 지났다.

나의 생각대로 살다 보니, 마치 오늘만 사는 것처럼 살다 보니, 주변 사람들이 모두 부러워하던 직장도 나만의 사유로 그만 두게 되었고, 나도 모르는 사이에, 장래가 촉망받던 젊은이에서, 그저 그런 노총각으로 변하고 말았다.

나는 마음이 복잡해질 때마다, 1995년 겨울에 내가 경험했던 기적을 떠올렸다. 자신의 모든 것을 걸고, 처음 만난 내게 친절을 베풀어 주신, 나를 지켜 주셨던 중대장님과 부연대장님을 떠올렸다. 그리고 두 분의 말씀처럼, 나는 내 자신이 특별하다고 믿었기에, 기대에 어긋나지 않은 사람이 되고 싶었고, 기대보다 더 큰 인재가 되어 사회에 기여하고 싶었다. 그것이 바로 두 분께 보답하는 유일한 길이라고 굳게 믿었다.

부연대장님의 당부처럼, 나는 살아남았다. 수단과 방법을 가리며 살아남았고, 옳고 그름을 따지며 살아남았다. 이직을 반복해서라도 살아남았고, 유학을 포기하면서 살아남았다. 남들이 만류하던 사업을 구상하며 살아남았고, 예상치 못한 셰프가 되어 살아남았다.

1995년의 겨울을 잊지 않고 살아남았다. 그러나 내가 나의 가치관을 고집하며 살아남을수록, 나는 점점 지인들로부터 멀어져 갔고, 사회로부터, 바꾸겠다던 그 세상으로부터 멀어져 갔다.

나는 세상을 올바르게 바꿀 수 있는, 아주 드문 기회가 올 때까지, 살아남고 싶었다. 도무지 더 이상 앞으로 어떻게 살아남아야 할지 막막할 때에, 어머니께서는 내게 "자랑스러운 아들이 아니어도 상관없으니, 엄마 아들로 숨만 쉬어주면 안 되겠니?"라고, 하나밖에 없는 여동생은 내게 "오빠를 위해서 해준 것이 아무것도 없는데, 내가 뭔가 해줄 수 있을 때까지만 살아 주면 안 돼?"라고 말했다. 그렇게 무기력하게 나는 또 살아남을 수 있었다.

나는 세상을 올바르게 바꿀 수 있는 아주 드문 사람이 되고 싶었다. 그러나 이 글을 쓰면서부터, 어쩌면 1995년 겨울의 중대장님과 부연대장님과 비슷한 또래의 중년남자가 되고 나서야, 나는 비로소 1995년 겨울의 기적은 내가 특별해서가 아니라, 그 두 분이 특별했기 때문에 가능했다는, 따가운 진실을 깨닫게 되었다.

1995년 겨울의 기적은, 남들과 다를 바 없는 평범한 나의 목소리에 그 두 분께서 특별히 귀를 기울이시면서 시작되었던 것이고, 그 두 분께서 하실 수 있는 최대한으로 노력하신 끝에, 내가 당돌하게 요구했던, 기적과 같은 변화가 일어나게 되었던 것이다.
단 한 사람의 요구를 들어주기 위하여, 단 한 명의 생명을 지키기 위하여, 두 분은 아무런 대가도 없이 자기 자신의 모든 것을 걸었으며, 그렇게, 자식을 사랑하는 부모처럼, 스스로를 희생하시며 기적을 만들어 내셨던 것이다.

내가 스스로 만들어 냈다고 착각했던 1995년의 겨울의 기적은, 특별한 두 분께서 최선을 다하여 이루어 내신 기적을 평범한 내가 누린 것에 불과했다. 이 위대한 진실을 깨닫는데 무려 이십일 년이

나 걸렸다. 나는 더 늦기 전에, 내가 목격한 두 영웅에 대한 실화를 글로 남기기로 결심했다.

나는 1995년 겨울에 육군 훈련소에서 있었던 기적의 증인이며, 내가 증언한 모든 기적은 사실이다.

끝.

5/4.

오래 전에, 그나마 몇 안 되는 지인들에게, 육군 훈련소에서 겪었던 일을 조심스레 이야기한 적이 있었다. 나의 지인들은 예외 없이, 나를 제대로 알지 못하는 다른 사람들에게는 절대로 나의 과거에 대해 언급하지 말라고 했다. 물론 대부분은 나의 무용담을 사실이라고 믿지도 않겠지만, 마치 자살을 시도했던 사람인 양, 나에 대한 부정적인 선입견이 생길 것이라며, 나의 과거가 나의 미래에 악영향을 미칠까 저어했다.

드라마나, 언론이나, 인터넷 게시판이나, 못 살겠다며 죽겠다고 아우성인 사람들을 흔히 보고 듣는 세상인데도, 실제로 죽음을 무릅쓰게 되면, 터부가 되고 결점이 되는 세상이다.

글을 쓸 때는 어떤 용기도 필요하지 않았는데, 막상 책으로 내려고 하니 많은 용기가 필요했다.

이 책의 출간을 내 스스로 후회하지 않기를 바란다.

1995년 겨울의 기적이라는 글은 세상에서 가장 긴 서문일 지도 모른다. 서문을 완성하는데 걸린 나흘 내내, 이 책의 저자로서, 나는 갈등하고 있었다. 이유는 간단했다. 서문을 쓰기 전까지만 해도 자기 자신이 특별하다고 생각하여 쓴 책의 내용이, 결과적으로 가장 나중에 쓴 서문에 의해, 지극히 평범한 사람이 쓴 글에 지나지 않는다는 역설을, 저자인 나 스스로가 증명하는 꼴이 되었기 때문이다. 낙서장이나 일기장에 불과한 책이라는 서문이 되고 말았다.

1995년 겨울의 기적은 내가 기억하는 대로 쓴 실화이다. 그러나 육군 훈련소를 퇴소한 이후로 현재까지 그 어떤 등장인물과 연락이 닿지 않는 상황에서, 나만 기억하고 있는 꿈같은 과거가 될 수도 있다는 생각이 들었다. 살아남은 자들의 서로 상이한 기억에 의해, 사실과 허구의 경계가 넓어지거나 혹은 좁아지는 현실을 목도하고 있기 때문인지도 모른다. 그래서 나는 '실화를 바탕으로 한'이라는 합리적인 표현을 차용하기로 했다.

1995년 겨울의 기적은 내가 난생 두 번째로 쓴, 실화를 바탕으로 한, 단편 소설이며, 나의 주변 사람들에게 미처 이야기하지 못했던, 비밀 이야기이자 과거의 나에 대한 고백이다. 내가 만난 두 영웅에 대한 기억이고, 추억이며, 그 두 분의 거창한 기대에도 불구하고, 평범하게 살아만 남아있는 내 자신에 대한 반성문이다.

턱없이 부족하지만, 이 책을 1995년 12월에, 무모한 나를 위해 기적을 만들어 주신 논산의 육군 훈련소 입소대대 OOO 중대장님과 교육연대 OOO 부연대장님께, 육군 훈련소에서, 기술 병과 학교에서, 제OO보병사단 보급수송근무대에서 나와 함께 이십육 개월을 보낸 모든 장병 전우들에게, 아직까지 주변에 남아 있는 지인들에게, 그리고 사랑하는 부모님께, 나를 아끼는 가족에게 바친다.

사진 ⓒ 김도윤, 2016

제1장
여전히 꿈꾸고 있다

2013년 11월 19일 18시 13분 현재 만 38세

1/4.

꿈을 이루기 위해서는 노력해야 한다고 말한다. 그렇다면 과연 꿈이라는 것은 결코 발로 뛰지 않으면 성취될 수 없는 것일까?

소위 꿈이란 특정 시험에서 높은 점수를 받거나 특정 자격증을 취득하는 것, 혹은 외모 및 신체의 극적인 변화 등등을 뜻하지 않는다. 미인대회 출전자가 우승이라는 목표를 달성하여 세계 평화에 기여하고 싶다는 꿈을 성취하고자 하는 것처럼, 목표와 꿈은 다르다. 목표는 본질적으로 배타적이지만 꿈은 결과적으로 이타적이기 때문이다.

올해 초 OOO 대통령님께서는 국민 모두가 꿈을 이룰 수 있는 새 시대를 열겠다고 말씀하신 바 있다. 그런데 만약 국민 각자의 꿈이 결과적으로 이타적이지 않고 본질적으로 배타적이라면 어떻게 되는 것일까?

매슬로우의 욕구 5단계가 마치 카스트 제도처럼 사람을 구분하는 기준으로 변질된 오늘날의 물질 만능 주의 사회에서, 우리는 꿈을 목표로 치환하여 사는 것이 아닌지 생각해볼 필요가 있다. 상대적 박탈감이나 상대적 빈곤이라는 어구가 이미 존재하는 세상에서, 영원히 해갈될 수 없는 부자가 되고 싶다는 갈증으로 인해 어쩌면 우리 모두 자발적으로, 스스로를 불완전한 사회 경제 체제를 유지하기 위한 건전지로 격하하고 있는 것은 아닐까?

열심히 살았다고 생각했는데 문득 '이렇게 살아서 뭐하나'며 회의하게 된다면, 영화 매트릭스의 소도구인 파란색 알약과 같은 현실 부정이 필요하다. 온 우주가 나서서 자신을 도와줄 것이라는 희망으로 나약한 정신 상태를 재무장할 수 있기 때문이다.

그렇게 건전지로 사는 인생을 대물림하며 꿈 없이 아니 물질적인 목표를 꿈으로 동일시하며 시대에 순응한 채 어린 양처럼 사는 우리 모두의 모습이 바로 전 세계에 만연한 불완전한 사회 경제 체제의 불편한 진실인지도 모른다.

2/4.

누구나, 꿈을 이루기 위해서는 노력해야 한다고 말한다. 경우에 따라, 의지라는 단어를 덧붙이기도 한다.

관련 주제를 역설하는 시청각 교재는 언제나 새벽에 텅 빈 도시를 혼자 부지런히 뛰어다니는 잘생긴 백인 남성의 독백으로 주로 구성된다. 물론 공익 광고를 표방한 상업 광고를 통해 지극히 평범하게 생긴 백인 남성이나 여성이 요란한 복장을 하고 번지점프를 하거나 바닷가 절벽에서 다이빙을 하며, 꿈꾸는 것을 멈추지 말라고 외치기도 한다.

그렇다면 과연 꿈이라는 것은 결코 발로 뛰지 않으면, 어디서 뛰어 내리지라도 않으면 성취될 수 없는 것인가?

나는 그렇게 생각하지 않는다. [I beg to differ.]

나는 꿈을 꾸는 것은 사랑에 빠지는 것과 같다고 믿는다. 두 사람의 사랑이 이루어지기 위해서는 두 사람이 서로 진심으로 사랑해야 가능한 것처럼, 당신의 꿈이 이루어지기 위해서는 함께 동시대를 사는 사회의 불특정 다수가 당신의 꿈이 이루어지기를 간절히 원해야 가능한 것이다.

꿈이 있다면, 그래서 그 꿈을 이루고 싶다면, 가장 먼저 그리고 유일하게 해야 할 일은 자신의 꿈을 타인과 공유하는 것이다.

꿈을 이루기 위해 홀로 노력하지 말라. 자신을 위해, 자신의 가족을 위해, 자신의 지인을 위해, 자신의 직원을 위해, 자신을 알지도 못하는 다른 그 누군가를 위해, 세상 모두를 위해 자기 자신만이 꿀 수 있는 꿈을 꾼다면, 그 꿈은 그 꿈을 포기하지 않고 계속

꾸는 한 반드시 이루어 질 것이다.

3/4.

다분히 시대착오적이게도, 어렸을 적에 나의 목표와 꿈은 - 당시 아동 도서의 영향으로 - 왕이 되어 권선징악을 실현하는 것이었다. 공상에 불과한 목표와 꿈을 상실하는 과정에서 가장 큰 역할을 한 존재는 산타클로스도, 담임선생님도 아닌 소위 엄마 친구 아들과 아빠 친구 아들이었다.

멘토라는 개념도 생소했던 그 시절에, 영화 매트릭스의 소도구인 파란색 알약과 같은 나의 선택 기준은 언제나 이미 엄마 친구 아들 혹은 아빠 친구 아들이 내렸던 결과가 검증된 선택이었다.

가치관이 채 정립되지 않았던 시기였음에도 불구하고, 내가 난생 처음으로 스스로 선택해야 했던 나의 미래는 대학 진학이었는데, 당시 나는 재수를 무릅쓰고 특정 대학의 특정 학과에 도전하는 대신에 담임선생님께서 추천하신 대로 비교적 합격 가능성이 높은 모 대학의 모 학과에 지원하게 되었다.

나는 예상대로 합격하였지만, 그리 기쁘지 않았다. 당시 제삼자에 의해 객관적으로 분석한 데이터를 근거로 내린 선택이었기에, 기대했던 결과를 확인한 것에 불과했기 때문이었다.

입학식 날에 환호성을 지르는 수많은 사람들의 틈에서, 그때 나는 처음으로 깨닫게 되었다. 스스로 기뻐할 수 있는 미래는 현재 내가 진심으로 원하는 선택에서 비롯되는 것이며, 타인의 추천이나 선택에 의존하는 한, 무조건 가능성이 높은 결과만을 추구하는 한, 무덤덤한 미래만 재확인하게 될 뿐이라는 짧은 깨달음이었다.

(그럼에도 불구하고, 인간사는 새옹지마라고 했던가? 사족이지만, 모교를 통해 나는 나의 가치관에 결정적인 영향을 미치게 된 여러 지인들과 인연을 맺을 수 있었다.)

4/4.

대학 입학식 날 이후로 나는 매 순간 스스로 나의 미래를 선택하기 시작했다. 당시에는 괘념하지 않았지만, 과거에 내린 나의 결정은 현재를 구속하는 특성을 갖고 있었으며, 대수롭지 않게 여겼던 결정도 가끔 혹은 빈번히 나의 미래를 예단하는 근거로 부당하게 활용되기도 했다.

다이얼 업 모뎀이 LTE-A 무선 통신으로 환골탈태하는 동안에, 마치 영화 매트릭스의 소도구인 빨간색 알약을 복용한 것처럼, 매 순간 나만의 선택을 하며 살기 시작하면서부터 나는 왕이 되어 권선징악을 실현하겠다는 어릴 적의 목표와 꿈을 시나브로 되찾게 되었다. 달라진 점이 있다면, 이제는 독재자가 되어 세상의 자원을 공정하게 재분배하는 동시에 권선징악도 실현하는 것을 꿈꾼다.

어쩌면 미혼이라는 불효막심하고 이기적이며 비애국적인 그러나 홀가분한 신분 덕택에 나는 후년에 만 사십 세를 앞두고도 여전히 몽상과 다를 바 없는 꿈을 꿀 수 있는지도 모른다.

『내가 그의 이름을 불러 주기 전에는 / 그는 다만 / 하나의 몸짓에 지나지 않았다. // 내가 그의 이름을 불러 주었을 때 / 그는 나에게로 와서 / 꽃이 되었다.』

대학 입시를 위해 피상적으로만 읽었던 김춘수님의 '꽃'이라는 시에서 선택의 힘이 얼마나 위대한지 깨닫는데 이십여 년이 걸린 것처럼, 지금의 나는 과거의 내가 일관된 가치관을 통해 결정한, 수많은 선택의 결과물이다.

왕후장상이 씨가 있나. 그 누구도 특별하게 태어나지 않는다. 바로 우리 스스로의 선택이 자신을 혹은 다른 누군가를 특별하게 만드는 것이 아닐까?
비록 백오십 평방미터 미만의 평범한 카페를 운영하는 독재자 셰프이지만, 여전히 나는 어렸을 적부터 꿈꾸던 꿈을 꾼다.

여전히 꿈꾸고 있다.

제1장 1.
나도 모르게 시간이 흐르다

2005년 08월 20일 16시 19분 현재 만 30세

오늘도 어제처럼 나도 모르게 하루가 간다. 눈부시게 밝은, 구름이 가득한 맑은 하늘을 본다. 일단 쳐다보기 시작하면 신기하게도 눈을 뗄 수가 없는, 더 이상 너그러울 수 없는 맑고 밝은 하늘을 나는 오늘도 바라본다.

기상학자들은 지난 삼십 년 동안 과거에 비해 오존층이 심각한 수준으로 손상되었다고 경고하기 시작했고, 정치인들은 지구온난화를 늦추기 위한 규제를 마련하기 시작했으며, 기업인들은 배기가스를 덜 배출하는 자동차를 생산하기 시작했다.

소비자마저 친환경적이라는 새로운 자동차를 구매하기 시작하자, 제품 수명 주기에 따라 각 지역의 도로가 점차적으로 친환경적인 자동차로 채워지기 시작했다.

여전히 독일과 영국, 미국과 프랑스, 이탈리아와 일본의 기상학자들은 과거에 비해 오존층이 더 심각한 수준으로 손상되고 있다고 발표한다. 그렇게 어제처럼 우리의 내일은 오늘도 달라지지 않는다.

지난 삼십 년 동안, 나는 하늘을 바라볼 생각조차 하지 않고 살아왔다. 권위 있는 기상학자처럼, 소신 있는 정치인처럼, 진보적인 기업인처럼, 그리고 합리적인 소비자처럼, 환경을 보호하고 보존해야한다는 명제를 아무렇지 않게 받아들이며 살면서도 정작 일상에서 내 자신은 가로수 이외에는 제대로 된 자연 환경조차 존재하지 않는 도심에서 고개만 들어도 볼 수 있는 하늘마저 단 한 번도 바라보지 않고 살아왔다.

지금 내 눈 앞에 끝없이 펼쳐진 파란 하늘은 어제의 하늘처럼 여전히 눈부시고, 아마 내일도 다름없이 아름다울 것이다. 지금 하늘을 바라보는 나는 어제 하늘을 바라보던 나와 다르지 않다. 하얀 빛으로 가득한 밝은 구름이 뜬, 파란 하늘을 설레며 바라볼 내일의 나도 오늘의 나와 다르지 않을 것이다.

그러나 세월이 흐르면, 예전과 다름없는 나를 바라보는 사람들의 시선이 예전과 달라졌음을 체감하게 된다. 내가 사는 세상은 그대로인데 그렇게 나도 모르게 함께 사는 사람들이 달라진다. 오늘을 어제처럼 그리고 내일을 오늘처럼 사는 것은 무한 경쟁 시대에 더 이상 용납되지 않는다. 시대의 흐름에 따라 변화하지 않으면 더 이상 그 시대에 어울릴 수 없게 된다.

권위 있는 기상학자처럼, 소신 있는 정치인처럼, 진보적인 기업인처럼, 그리고 합리적인 소비자처럼, 오늘은 어제와 달라야 하고,

내일은 오늘과 달라야한다는 명제를 아무렇지 않게 받아들이며 살면서도 정작 일상에서 내 자신은 예전 그대로의 생각과 모습으로 고개만 들어도 엿볼 수 있는 타인의 생각과 모습조차 제대로 관심을 갖고 바라보지 않으며 살아간다.

내일도 오늘처럼 그렇게 흘러갈 것이다. 오늘의 나는 어제의 나이며 동시에 내일의 나이다. 다들 세상이 바뀌어야 한다고 말하지만 정작 바뀌어야 할 대상은 바로 우리 자신이 아닐까?

이제 권위 있는 기상학자라는, 소신 있는 정치인이라는, 진보적인 기업인이라는, 그리고 합리적인 소비자라는 타인의 시선에 얽매인 나의 굴레를 벗어나야 할 때가 되었다.

일단 바라보기 시작하면, 신기하게도 눈을 뗄 수가 없는, 더 이상 너그러울 수 없는, 맑고 밝은 하늘을 바라본다. 그 따뜻한 햇살을 통해 나는, 과거에 그토록 외면해왔던 나의 정체성이 그동안 내가 추구해왔던 정체성인 것을 새삼 깨닫는다. 사람들의 눈에 비치는 나를 쳐다보기 위해 사람들을 바라봤던 나의 눈을 들어 눈부시도록 밝은, 구름이 가득한 맑은 하늘을 본다.

나도 모르게 행복하다.

제1장 1. (1)
세상과 선을 긋다

1/6.

2014년 04월 25일 17시 09분 현재 만 38세

나이가 들수록, 흉금을 터놓을 수 있는 지인의 숫자가 줄어든다. 그마저도 시간을 내어 만나기가 쉽지 않다. 그렇게 외로움에, 반가움에, 그리고 그리움에 익숙해진다.

살다보면, 말 한마디 없이 하루가 갈 때도 가끔 있다.

2/6.

2014년 11월 05일 14시 39분 현재 만 39세

제일 친한 친구와 여행을 갔는데 왜 다툴까?
평생 함께 하기로 약속한 연인과 왜 싸울까?
왜 투쟁하지 않으면 성취할 수 없다고 할까?

세상이 내 마음과 같지 않은 까닭은, 내가 선택하지 않은 것마저 받아들여야 하는, 나만의 세상이 아니기 때문이다.

3/6.

2014년 12월 18일 13시 11분 현재 만 39세

오늘날의 문명 세상은 하고 싶어도 할 수 없는 세상과 원치 않아도 할 수 밖에 없는 세상의 합집합이다. 하고 싶으면 하고, 원치 않으면 하지 않는 여집합의 삶은 나의 선택에 따른 예외적인 결과에 불과하다.

마음이 편한 만큼 세상으로부터 멀어진다.

4/6.

2014년 09월 26일 19시 51분 현재 만 39세

과연 잘못된 인과관계일까?

1) 남존여비로 인한 외모지상주의
2) 군사독재로 인한 포퓰리즘
3) 주입식교육으로 인한 전체주의
4) 학벌지상주의로 인한 도덕불감증
5) 민주주의로 인한 물질만능

6) 지방자치로 인한 무사안일

7) 너로 인한 우리

5/6.

2014년 05월 16일 21시 31분 현재 만 38세

보행자는 운전자를 탓하고, 운전자는 보행자와 타 운전자를 탓한다. 민원인은 공무원을 탓하고, 공무원은 민원인과 타 공무원을 탓한다. 근로자는 사용자를 탓하고, 사용자는 근로자와 타 사용자를 탓한다.

자기 자신부터 바꾸지 않는데 어떻게 세상이 바뀔 수 있겠는가?

6/6.

2015년 11월 10일 10시 42분 현재 만 40세

세간의 존중을 받으려면 꾸준히 한 쪽만 편들어야 한다.

정부를 비판하면 강남좌파냐고 비꼬고 야당 정치인을 비판하면 부르주아냐고 비아냥거리며 성 불평등을 비판하면 페미니스트냐고 비웃는다.

나는 단지 강자에게 강하고 약자에게 약한 선택을 했을 뿐이다.

1/6.

2014년 05월 17일 18시 26분 현재 만 38세

빈 커피 잔을 보고 치워야겠다는 생각만 하며 그냥 두었다. 군것질거리를 꺼내 탁자 위에 올려놓는데, 비닐봉지 안에 함께 넣어둔 음료수 병이 넘어지면서, 옆에 놓여있던 빈 커피 잔을 내려쳤다.

십 초면 충분한 일을 미뤘더니 치우는 데만 삼십 분이 걸린다.

2/6.

2013년 06월 22일 21시 10분 현재 만 37세

스스로 일을 찾아서 하지 않은 직원보다, 그 직원에게 해야 할 일을 지시하지 않은 내 잘못이 더 크다.

매 번 지시하는 일을 하지 않은 직원보다, 그 직원이 일을 했는지 확인하지 않은 내 잘못이 더 크다.

고용주로서 항상 내 잘못이 더 큰 법이다.

3/6.

2014년 06월 03일 16시 11분 현재 만 38세

내가 카페 직원에게 주는 시급은 주 20시간 기준 6천원이다.

매월 만근 시 내달에 부여하는 유급 월차와 주 2.5시간의 유급 휴식, 매주 주휴 수당까지 감안하면 매월 76시간 근무하는 직원에게 내가 지급하는 급여는 648천원이다.

시급 8.5천원이 된다.

4/6.

2013년 07월 11일 22시 48분 현재 만 37세

세상만사 꿈과 의지만으로 모든 일을 이뤄낼 수 있다고 쉽게 말하지 말자. 아무리 좋아하는 일이라도, 충분한 휴식이 불가능해지면, 의욕과 능률마저 떨어질 수밖에 없다.

정작 주인인 내 자신도, 피로가 누적되면, 주인의식을 잃고 주인

행세를 할 뿐이다.

5/6.

2014년 07월 18일 17시 56분 현재 만 38세

자기 자신을 위한 작은 깨달음을 얻고 나면, 주변 사람들까지도 그 깨달음을 인정하고 공감해야, 비로소 나 자신이 그 깨달음을 온전히 누릴 수 있다는, 조금 더 큰 깨달음을 얻게 된다.

머리로 알고 있던 것을 마음으로 깨닫는 것처럼 기쁜 일은 없다.

6/6.

2014년 09월 03일 03시 41분 현재 만 39세

"이번에는 기필코 윤회를 벗어나겠어!"
"지구 관광은 이번이 마지막이야."

엄마 앞에서 못하는 소리가 없는 아들인 나(만 39세)와 수십만배의 오체투지 내공에 빛나는 모친(만 64세)이 오후 홍차를 마시며 다른 가족들 몰래 지구 탈출을 계획한 설.

1/6.

2014년 09월 05일 22시 16분 현재 만 39세

배고프면 결국 먹어야 하고, 졸리면 결국 자야 하니 일상이 여간 번거로운 것이 아니다.

먹고 죽은 귀신이 때깔도 곱다는 말도 있지만, 요즘 같아서는 그냥 때와 상황에 맞게 옷을 갈아입듯, 육신에 매인 정신도 생리학적인 통제로부터 벗어날 수 있으면 좋겠다.

2/6.

2014년 09월 07일 06시 48분 현재 만 39세

허영심과 이기심, 성욕과 식욕이 사라진 인간의 삶은 어떨까?

무덤 속에 들어가서 누워 있겠다는 소리라는 우문현답을 들었을 때만 해도 반신반의했었는데, 요사이 광고와 뉴스, 드라마와 요리 방송으로 가득한 TV 시청을 지양하였더니 피라미드 안의 파라오처럼 살고 있었다.

3/6.

2015년 10월 16일 23시 10분 현재 만 40세

수입업체는 폭스바겐이라고 명기하고 언론은 폴크스바겐이라고 표기한다. 과거 오렌지와 '어린쥐' 소동을 감안하면 이 정도는 아무런 논란도 되지 않을 것이다.

한글이 우수한 문자라면, 외국어 교육과 외래어 표기법은 우스운 수준이다.

4/6.

2014년 08월 12일 02시 34분 현재 만 39세

우리는 시작이 반이라는 말과 첫 단추를 잘 꿰어야 한다는 말을 별개로 인식하지만, 영어권 국민은 A good beginning is half the battle로 그 두 문장을 합하여 표현한다.

언어 표현의 차이라고 치부할 것이 아니다.

5/6.

파리 에뚜왈 인근의 꽁뜨와에서 Mardi를 나도 모르게 마르디라고 발음했다. 옆에 있던 프랑스인 아주머니가 - 정말 두 눈을 번쩍 뜨고 - 마흐디라고 바로 교정해준다.

나도 모르게 고개를 끄덕이며 마흐디라고 복명복창하고 말았다. '빠히'는 여전하다.

6/6.

(죽을) 날 받아 놓았다는 우리말 표현과 유사한 영어 표현이 My days are numbered인 것처럼, 서로 다른 언어권에서 사용되는 관용적인 어구의 미묘한 동질성은 참 흥미롭다.

국어부터 잘해야 외국어도 잘할 수 있는 것이 아닐까?

제1장 2.
버리는 것이다

2005년 02월 13일 17시 02분 현재 만 29세

소중하다면, 잃지 말아야 한다. 잃었다는 말은 그 대상이 더 이상 자신에게 소중하지 않다는, 무의식의 자유로운 외침이며, 효용성[Utility]을 상실한 혹은 한계효용에 다다른 그 대상에 대한 이기적인 자아의 조건반사적인 행위를 대변한다. 점잖게 잃었다고 표현할 뿐, 버리는 것이다.

잃다와 같이, 살다 보면 그럴 수도 있는 오늘날의 이기적이고 무책임한 인간관계에서 명목상 존재하는 가식적인 어휘로 잊어버렸다 또는 까먹었다가 있는데, 생화학적인 부작용에 대한 정도의 차이가 있을 뿐, 사실상 동의어이다. 단, 일시적으로 태만한 정신 상태에서 비롯된 경우에 한하여, "몸이 (몹시) 아프다" 혹은 "집에 (급한) 일이 있다" 등의 상황별 유의어에 주의할 필요가 있다.

일단 버린다는 솔직하고 담백한 자유의지를 행사한 뒤, 더 큰 효용을 주는 대체 대상을 얻지 못할 때 비로소 우리는 더 이상 순수할 수 없는, 위험 회피[Risk Aversion]를 이성적인 사고로 시도하는데, 이로 인해 후회, 미련, 분노, 자조 등의 생화학적 부작용을 얻게 된다.

버리는 행위에 정당성을 부여하기 위해, 일부는 사회적인 환경을 탓하기도 하고, 일부는 구조상의 결함을 언급하기도 하며, 일부는 소박한 자아비판을 시도하기도 하는데, 그 대상이 사람인 경우, "내가 미쳤지" 혹은 "콩깍지가 씌었나봐"를 주로 사용하며, 사물인 경우 "이렇게 정신이 없다니까" 등의 가벼운 문장을 사용한다.

이러한 행태는, 사람이 그 대상인 경우, 타인의 공감대를 이끌어내어 새로운 대상(들)을 소개받고자 하는 이기적인 자아의 무차별곡선[Indifference Curve]을 드러내는 행위로써, 생화학적 부작용을 알코올과 치환하여 사교적인 기회비용으로 전환시키는 수단으로 흔히 사용되며, 이미 암묵적으로 동의된, 투자의 성격을 지닌 절차이다.

사물을 버린 경우, 예산제약[Budget Constraint]과 일치하는 한, 새로운 대체품을 상향 구매하는 경향만이 존재하는데, 해당 대상을 하향 구매하거나 아예 구입을 포기한 채 해당 효용이 없이 지내는 상태를 일컬어 주제 파악한다고 표현한다. 이는 사교적으로 금기시되는 어구 중 하나로, 원칙상 사물을 버린 자가 본인 이외 일인 이상 동석한 준사회적인 상황에서 자아비판의 목적으로 사용할 수 있으나, 가급적 자제할 것을 권장한다.

소중한 대상이 있다면, 버리지 말라. 버리지 않을 때, 아낄 수도 있는 것이다. 소중한 대상을 잃었다고 말하지 말라. 소중한 대상보다 나의 효용이 더 중요했기 때문에 버린 것이다.

 더 이상 그 대상을 원하지 않았기 때문이다. 대체할 수 있었기 때문이다. 재미가 없었기 때문이다. 싫증이 났기 때문이다. 귀찮아졌기 때문이다. 더 이상 소중하지 않기 때문이다.

 내가 더 소중했기 때문이다. 그런 잘난 나를 인정하자.

 버리기 전에, 너 자신부터 알라. [TEMET NOSCE.] 세상은 완전 경쟁시장이 아니고, 우리도 완벽하지 않다. 잃는 것도, 잊는 것도 아닌, 버리는 것이라는 것을 이제 우리 모두 안다.

제1장 2. (1)
노매드 세상에 이웃은 없다

1/8.

2014년 04월 13일 20시 15분 현재 만 38세

차고 앞에 불법 주차한 차주에게 차를 빼달라고 전화를 했다.

"차고 앞에 차를 대면 어떡해요."라는 내 말에 차주는 죄송하다는 말 대신 (엄연히 편법인) "대리 주차 직원도 없잖아요!"라며 내게 소리를 질렀다.

거짓말이 아니라 진짜 이런 일이 일상다반사다.

2/8.

2014년 10월 06일 00시 43분 현재 만 39세

개인의 방종이 타인의 자유를 침해할 때 우리는 제도를 통해 이를 제재하려 한다. 서로 배려하고 존중하는 사회라면 관습이나 도덕만으로도 충분히 조정되지만, 이기적이고 배타적인 사회가 될수록 법률로 제도화된다.

우리는 그렇게 스스로 자유를 제한하고 있다.

3/8.

공동주택에서 살며 대중교통으로 이동하는 국민들을 주축으로, 공공시설이나 공공장소에서 타인에게 피해를 주는 행위를 금지해야 한다는 요구가 거세지고 있다.

사유지에서 살며 자가용으로 이동하는 국민들이 더 많은 자유를 누릴 수 있게 될 것이다.

4/8.

받는 것이 있어야 주는 것이 있다? 혹은 오는 것이 있어야 가는 것이 있다?
우리말은 그렇지 않다.

주는 것이 있어야 받는 것이 있는 법이고, 가는 것이 있어야 오는 것이 있는 법이다.

순수한 의도에서 비롯되는 친절함도 역시 다를 바 없다.

5/8.

2014년 04월 18일 13시 47분 현재 만 38세

전 국민의 관심이 집중된 비극적인 사건과 사고가 터질 때마다 이를 천재일우로 삼으려는 몰지각한 일부 국민들의 사악한 마각도 드러난다.

자극적인 제목으로 클릭을 유도하는 무책임한 인터넷 악성 기사나 게시물, 파밍과 피싱 문자가 넘쳐 난다. 한심스럽다.

6/8.

2014년 09월 23일 18시 36분 현재 만 39세

모친께 최근 인터넷 뱅킹 사기와 휴대폰 스미싱에 대해 알려드렸다. 평생 남에게 베풀기만 하며 살아오신, 마케팅 목적의 전화마저 냉정하게 끊지 못하시는 우리 모친의 낯빛이 어두워진다.

모친의 세상마저 몹쓸 세상으로 바꿔버린 것 같아 씁쓸하다.

7/8.

서로 신뢰하지 않는 사회일수록, 더 이상 서로에게 친절하지 않은 사회로 변질될수록 더 많은 대부업 광고와 더 다양한 보험 상품 광고가 방송되는 것은 아닐까?

굳이 돈을 지불하지 않아도 서로가 서로를 성심껏 친절히 보살펴 줄 수 있는 사회를 꿈꿔본다.

8/8.

한 번의 호의를 한 번 더 베풀었더니, 어느새 당연한 권리인 것처럼 또 한 번의 호의를 당당히 요구한다.

한 번 고마운 일은 두 번째에도 고마운 일이고, 그 이후에도 고마운 일로 남아야 한다.

양심이 사라지니 마음마저 한계 효용 체감의 법칙을 따른다.

제1장 2. (2)
왜 떠나고 싶을까

1/8.

2014년 05월 27일 15시 24분 현재 만 38세

여행은 돌아오는 것을 전제로 한다. 그래서 무작정 떠나기가 어렵다. 아무 때나 떠날 수 있는 팔자 좋은 삶이지만, 언젠가는 그 삶으로 돌아와야 한다는 점에서 그리 좋은 팔자는 아닌 것 같다.

돌아오지 않아도 꽤 괜찮은, 여행을 떠나고 싶다.

2/8.

2015년 07월 29일 00시 53분 현재 만 40세

예루살렘의 거리는 현대·기아차로 가득하다. 수많은 건물 외부에 LG 에어컨 실외기가 달려있고, 삼성의 보급형 휴대폰을 사용하는 현지인들도 많다.

튼튼하고 우수한 품질을 저렴한 가격에 유통하고 판매할 수 있는 우리나라의 저력을 실감했다. 진정한 국력이다.

3/8.

2014년 10월 03일 03시 20분 현재 만 39세

인당 국민소득이 미화 십만 불이 넘는, 교육/의료/토지 등이 국민에게 무상 제공되는 카타르의 UN 행복지수는 최하위다.

인당 국민소득이 우리나라와 비슷한, 독재세습왕권 국가인 사우디아라비아 국민의 행복지수는 자유민주주의 체재의 우리와 비슷한 중위권이다.

4/8.

2014년 06월 09일 03시 31분 현재 만 38세

이스탄불 거리에도 청장년이 넘쳐난다. 그나마 일 리라짜리 길거리 음식 가판대를 운영하는 사람은 자부심 어린 표정에 목소리도 밝다.

에틸러 인근은 서울의 청담동 같다. 독일 승용차와 이탈리아 명품 매장이 빽곡하다. 또 다른 모습의 이스탄불 청장년을 본다.

5/8.

2014년 11월 24일 01시 27분 현재 만 39세

전 세계 어디를 가든 누구나 세 부류의 이방인을 만나게 된다.

어떤 옷을 입고, 어떻게 이동하며, 얼마를 쓰느냐에 따라, 친절하고 예의바른 자, 무례하고 인종을 차별하는 자, 구걸과 범죄의 대상으로 삼는 자 중에 누구와 마주칠지 예상할 수 있다.

6/8.

2014년 10월 05일 23시 18분 현재 만 39세

"너, 내가 누군지 알고 감히 건방지게 버릇없이!"
북경 외무부 인근 특급호텔에서 정산을 하는데 옆에 있던 중국인이 갑자기 당원증을 내던지며 직원에게 고성을 지른다.

툴툴대던 직원이 갑자기 미소를 꾸며낸다. 그들과 무관하던, 내 하루가 망가졌다.

7/8.

2013년 08월 26일 17시 49분 현재 만 38세

무쏘의 뿔처럼 홀로 나서서 오늘도 나만의 목적지를 향해 한 걸음씩 걷는다.

가끔 뒤를 돌아볼 때가 있다. 그럴 때면 신기루와 같은 불야성의
불빛에, 남은 길이 더 어두워 보이기도 한다.

나를 위한 나만의 길을 걷는데도 길을 묻고 싶을 때가 있다.

8/8.

2014년 10월 18일 13시 33분 현재 만 39세

여행을 가자니 굳이 떠나야 할 이유가 없고, 그렇다고 그냥 있자
니 막상 또 남아야 할 이유가 없다.

혼자 사는 세상이라 자유롭기는 한데, 자유로운 세상을 홀로 누
리고 있으니, 좋고 싫은 것도 어느새 무뎌진다.

공수래공수거. "왜 사냐건 웃지요."

1/8.

2014년 12월 22일 19시 56분 현재 만 39세

무지함과 박식함이 결과적으로 크게 다르지 않은 세상에서 감정마저도 소통을 통해 표출해야 하는 인간의 한계를 감안할 때 허상을 구분하는 것은 쉽지 않다.

따뜻하지 않으면 허상이다.
눈부시지 않으면 허상이다.
확인하고 싶은 그 대상이 바로 허상이다.

2/8.

2014년 08월 05일 16시 39분 현재 만 39세

휴대폰을 막 구입했을 때는 여간 애지중지하는 것이 아니다. 행여 흠이라도 날까 촉각을 곤두세운다. 시간이 흐르고 어느덧 그 휴대폰은 떨어져도 아무렇지 않아야, 그 정도는 견뎌야, 정상 취급을 받는다.

휴대폰은 예전 그대로인데, 마음이 변할 뿐이다.

3/8.

세상의 모든 미래는 50%의 가능성과 50%의 불가능성을 내재하고 있다. 과거에 99%의 성공을 기록했더라도 현재 다시 성공할 가능성은 변함없이 50%에 불과하다는 점에 주의해야 한다.

확률과 통계치는 과거를 기록하는 또 다른 수단이지 가능성에 대한 지표가 아니다.

4/8.

계획을 세우는 것은 어렵지 않다. 그러나 그 계획과 대안 중 어떤 것이 더 효율적인지 혹은 더 시기적으로 적절한지 판단하는 것은 쉽지 않다.

계획과 여러 대안 간의 기회비용 차이가 크지 않다면 지지부진하게 결정을 미루느니 우선순위에 따라 선택하자.

5/8.

2014년 01월 15일 16시 45분 현재 만 38세

배워서 남 주나는 말처럼 우리 사회는, 응당한 대가를 치루지 않는 한, 타인과 지식을 나누지 않는 세상으로 변했다.

지식을 소유하고 이를 제도화하는 지적재산권법은, 이른바 공유라는 인간적인 단어를, 어느새, 침해될 수 없는 권리라는 신성한 어구로 바꿔버렸다.

6/8.

2014년 10월 14일 21시 43분 현재 만 39세

내가 소비하는 내 시간의 가치는 홀로 무엇을 하느냐에 따라 결정된다. 그러나 내가 지불하는 내 시간의 가치는 누구와 함께 보내느냐에 따라 결정된다.

낭비하더라도, 무가치하게 지불하느니, 무가치하게 소비하는 편이 정신건강에 이롭다.
유념하자.

7/8.

2014년 10월 18일 13시 00분 현재 만 39세

올바른 질문을 던졌을 때, 답을 몰라서 대답하지 못하는 사람과 답을 알아도 대답하지 않는 인간, 그리고 질문 내용 자체에 반감을 갖는 인간이 있다는 것을 명심해야 한다.

가릴 수만 있다면 사람 이외의 타 인간들과는 상종하지 않는 것이 좋더라.

8/8.

2014년 10월 12일 10시 49분 현재 만 39세

정답을 찾으려고 고민하지 말자. 결국 오답 중 하나를 선택할 뿐이다. 해답을 도출하겠다고 애쓰지 말자. 장님 코끼리 만지듯 시간만 낭비할 뿐이다.

정답과 해답을 알고 있는 사람들은 항상 숨어 있다. 그들의 마음을 여는데 정성과 노력을 기울이자.

사진 ⓒ 김도윤, 2016

제2장
당신은 상대적으로 평등하다

2007년 08월 10일 06시 00분 현재 만 32세

철학 논제로서의 평등은 과연 민주주의 이념으로서의 평등과 어떻게 구분되는가? 아니, 구분되어야 하는가?

삶과 죽음이라는 두 단어로, 나는 철학 논제로서의 평등을 우선 정의한다.

삼차원의 좌표를 통제하는 인간은, 삶을 유지하는 한, 시간이라는 또 다른 차원에 종속됨으로써 이론적으로 미래라고 믿는 현재에 - 다람쥐나 햄스터가 쳇바퀴를 돌리듯 - 연속적으로 머무르는 과거의 존재이며, 칠십 퍼센트의 H_2O로 구성된 생물에 불과하다.

시간 앞에서 비로소 인간은 평등하다.

나는 권리와 의무라는 두 단어로 민주주의 이념으로서의 평등을 정의한다.

만약 민주주의의 이념이 인간의, 인간에 의한, 인간을 위한 이념이라는 각각의 축으로 구성된 삼차원이라고 전제한다면, 민주주의 이념을 대표하는 상징인 자유는 무책임하고 무분별한 방종이 아닌, 책임과 의무가 따르는 제한적인 자유이며, 민주주의 사회가 적극적으로 보장하고 보호하는 권리이다.

모든 사람은 외부적인 구속이나 무엇에 얽매이지 아니하고 자기 마음대로 할 수 있는 자유를 누려야 하는가? 반윤리적이거나 비도덕적인 경우가 아니라면, 나는 그렇다고 믿는다.

윤리의식 혹은 도덕관념 앞에서 비로소 인간은 평등하다.

어처구니없게도 불완전한 인간의 사회는 철학 논제로서의 평등을 인간의 존엄성과 의미상으로 다를 바 없는 유의어로 신격화시키더니, 급기야 민주주의 이념으로서의 평등도 적극적으로 보장하고 보호해야 한다며, 법 앞에 만민이 평등하다는 논리를 통해 차별금지와 기회균등을 전면에 내세우기 시작했다.

사차원의 관념을 삼차원으로 치환한 결과, 시간 앞에서 평등한 인간이 윤리의식 혹은 도덕관념 앞에서 불평등한 경우인 유전무죄(有錢無罪)와 무전유죄(無錢有罪)가 발생하기 시작했고, 역(逆)으로, 윤리의식 혹은 도덕관념 앞에서 평등한 인간이 시간 앞에서 불평등한 경우인 악마불사(惡魔不死)와 의인박명(義人薄命)이 사회에 만연하게 되었다.

융통성 있는 법의 운용이 강조되는 온정주의 대한민국에서, 법 앞에 평등한 당신에게 나는 묻고 싶다. 성폭력을 저지르는 인간이 어린이집을 운영한다면, 학원을 운영한다면, 종교 재단이나 복지 재단을 운영한다면, 우리 사회는 평등 혹은 자유의 이름으로 이를 묵인해야 하는가? 가정폭력을 저지르는 인간이 교수로 임용된다면, 판검사로 임용된다면, 정치인이나 방송인으로 활동한다면, 우리 사회는 평등 혹은 자유의 이름으로 이를 묵인해야 하는가? 정신 건강이 불안정한 인간이 교사로 근무한다면, 직업 군인이나 경찰로 근무한다면, 약사나 의사로 근무한다면, 우리 사회는 평등 혹은 자유의 이름으로 이를 묵인해야 하는가?

"어떻게 사람이 그럴 수 있어?"라는 과거의 상식이 파괴된 현재에, 무엇보다, 미래를 위한 윤리의식 혹은 도덕관념의 정립이 필요한 것은 아닌지 나는 자문해본다.

윤리의식 혹은 도덕관념 앞에서 비로소 인간은 평등하다는 명제가 윤리의식 혹은 도덕관념 앞에서 인간은 결코 자유로울 수 없다는 명제와 필요충분조건이 되는가?
군대를 다녀오지 않거나 음주 운전이 적발된 인간은 정치인이든, 연예인이든 상관없이 활동해서는 안 된다는 가설은 기회균등의 제한과 차별을 지지하는가?
유서까지 쓰고, 이슬람국가에 기독교를 선교하러 갔다가 피랍된 인간은 목사든, 통역사든 상관없이 구출할 필요가 없다는 가설은 제한적인 자유와 차별을 지지하는가?

　전과자도 아무런 차별 없이 의회 의원으로 선출되어 법을 개정할
수 있는 자유로운 민주주의 사회에서, 언제든 국민의 동의 없이도
개정될 수 있는 법 앞에서, 만민이 평등하다고 착각하지 말라.
　인간은 절대적으로 시간 앞에서 평등하고, 상대적으로 윤리의식
혹은 도덕관념 앞에서 평등할 뿐이다.

　윤리의식이 사라지고 있다. 도덕관념이 무너지고 있다. 상식마저
파괴되고 있다.
　평등을 논하기 이전에, 기회균등을 논하기 이전에, 하다못해 인
종 차별과 성[Gender]차별, 학력 차별, 빈부 차별 등등을 논하기
이전에, 윤리의식 혹은 도덕관념이라는 우리 사회의 명확한 정의 -
定義 [Definition]와 正義 [Justice] 모두 - 가 필요한 위험한 시점
에 도달한 것은 아닐까?

제2장 1.
십자가를 보라

2005년 08월 17일 16시 14분 현재 만 30세

*경고: (인간 사회의 보편타당한 상식에 반하는 표현이나 견해는 괄호 처리를 하였으니, 지구인을 연구하기 위해 방문한 외계 지적 생명체[E.B.E., Extraterrestrial Biological Entity] 이외에는) 괄호 안의 내용을 무시할 것.

자발적으로 (오류를 만들며) 사는 (다수의) 인간과 피동적으로 (오류를 막으며) 사는 (소수의) 인간의 (역설적인) 조화가 이루어진 상태를 우리는 사회라고 말한다.

사회를 변화시키는 수많은 변수는 (동시대인 인간 품성의 질적 그리고 양적인 측정계수인) 문화라는 매개체를 통해 제도와 관습으로 뿌리내리기도 하고, (이기적인 목적을 위해 관련 정보를 의도적으로 배포하여 홍보하는) 사회적 동조현상의 불협화음으로 인해 소리 없이 사라지기도 한다. 불협화음은 동시대인의 (지적) 수준이

(지나치게 높거나, 좌 혹은 우)편향적인 경우에 발생한다.

인간은 (역설적인) 조화를 이룬 상태에서 (아이러니하게도, 조화를 분열로 이끌어 사회 존립 자체를 위협하는) 다양성을 추구하는데, 그 원동력이 되는 것이 바로 동시대를 함께 살아가는 각기 다른 (품성을 가진 그러나 이기적인 자신의 욕구를 제한된 범위 내에서 충족시켜줄 수 있는) 타 인간이며, 인간은 타 인간과의 관계를 통해 사회를 구성하고 (저렴한 노동력을 활용한 과도한 생산이 충분히 과소비될 수 있도록,) 제도를 통해 (인구 확대와 의식주 물가 상승을 유도하여 지속 가능한 사회 경제적 지위를) 유지한다.

인간은 주로 식사(와 무절제한 음주 가무)를 하면서 타 인간과 관계를 성립시키는데, (타 인간의 삶을 통해 자신의 삶을 평가 - 정성적인 Judge와 정량적인 Evaluate 두 가지 모두 - 하는 치명적인 약점을 지니고 있으며,) 사회 경제적 지위가 더 높은 타 인간의 (독단적인) 제의로 상호 친목 도모를 위한 회식을 갖기도 한다. (이는 약육강식으로 묘사되는 동물의 삶에서 힘이 제일 센 수컷이 사냥을 하고 식사를 시작하면 그 주변으로 몰려드는 행태와 유사하지만, 인간의 가장 편리한 변명 또는 단순한 사실의 하나인, 원초적인 사유에 해당한다.) 인간은 타 인간과 대화를 나누어 (신상) 정보를 (적자생존의 법칙에 따라, 탐색하고 수집하며 자의적으로) 공유함과 동시에 관계 강화 여부를 판단한다.

대다수의 인간은 자신과 가치관이 (대부분 유사하나 일부) 상이한 타 인간과도 함께 어울리며 (~~무료함이나 외로움을 느끼지 않기 위해~~) 차이점을 (~~인정하기 싫더라도 어쩔 수 없어~~) 수용함으로써 관계를 유지하거나 강화시킨다. (~~결국 다양성에 대한 인간의 관대함은 자아성찰로 인해 야기되는 천상천하유아독존, 天上天下唯我獨尊이라는 인간 존재 본연의 궁극적인 외로움을 극복할 수 없을 때 발현되기 때문이다. 참고로, 인간 사회에서 위 어구는 우주 가운데 자기보다 더 존귀한 이는 없다는 뜻으로 통용된다.~~)

한편으로 일부 (소수의) 인간은 (~~인간 문명의 질적 그리고 양적인 측정계수인 희생이라는 인간 품성의 가치 향상을 위해 자신에게 주어진 고독한 길을 걸어가지만, 절대 다수의 인간에 해당하는~~) 타인간(~~이 친구의 조건으로 은근히 기대하는 졸업 후 가치가 비슷한 학력~~)과 (~~금전적 보상이 유사한 직업, 호감 가는 외모 및 무분별한 소비 행태, 그리고 앞서 언급한 모든 것을 무마시킬 거짓 웃음 및 다중적인 인격 등등~~)의 (~~지적 생물체로서 수용하기 어려운~~) 견해 차이로 교류를 축소하거나 심지어 중단하기도 한다.

세상에는 두 종류의 인간이 있다. (~~무료함이나 외로움을 느끼지 않기 위해~~) 자발적으로 (~~오류를 만들고~~) 사는 (~~다수의~~) 인간과 (~~인간 존재 본연의 궁극적인 외로움을 극복하여~~) 피동적으로 (~~오류를 막으며~~) 사는 (~~소수의~~) 인간이 있다.

조화로운 사회(와 문화의 발전, 그리고 문명의 진화)는 전적으로 (소수의) 인간(의 생존 여부와 상호 협력) 관계에 달려 있다고 해도 과언이 아니다.

(소수의 인간이 짊어진 십자가가 보이는가?)

부디 서로 아끼고 사랑하라!

1/8.

2014년 09월 03일 00시 55분 현재 만 39세

많은 외국인이 우리나라를 방문할수록, 대한민국 국적을 취득할수록, 다양하고 활발한 문화교류를 통해 우리가 창조적으로 발전하려면 무엇이 필요한가?

로마에 가면 로마법을 따르라는 말이 있다.
우리 로마인의 준법의식과 우리의 로마법 집행은 어떠한가?

2/8.

2014년 08월 27일 16시 53분 현재 만 39세

우리나라에는 예외가 너무 많다.
입시에도, 군 신체검사에도, 대학졸업 요건에도, 입사할 때도, 근무평가에도, 이직을 할 때도, 하물며 각종 법 조항과 규정에도 예외가 있다.

심지어 물건을 구매하거나 식사를 할 때도 "이번만 특별히"라고 하더라.

3/8.
2014년 05월 10일 19시 52분 현재 만 38세

포퓰리즘이 판치는 세상의 가장 나쁜 점은 서민 혹은 민중의 정서에 반하는 의견이나 소신을 가진 시민이 공개적으로 발언하는 순간, 익명성을 보장받는 군중 속에서 터져 나오는 이익집단의 조직적인 주동에 의해 정의롭지 않은 여론 재판을 받는다는 점이다.

4/8.
2014년 12월 19일 22시 06분 현재 만 39세

불완전한 사회 체제인 민주주의를 감성적으로 호도하지 말자. 다양성을 인정하고 존중하는 것과 어떤 선택을 하든, 답안지를 모두 정답 처리하는 것은 다르다.

자유의지로 UNUS PRO OMNIBUS OMNES PRO UNO를 실현하는 것이 민주주의다.

5/8.

정답이 존재하려면 모두가 동의하는 규칙과 전제조건이 필요하다. 규칙이나 전제조건에 대한 시민의 이견을 존중하여 정답이 아닌 해답을 추구하는 체재가 바로 다양성이 존중되는 직접 민주주의다.

오늘날 대의 민주주의가 추구하는 해답은 과연 무엇인가?

6/8.

상식이 얕아지고 줄어들수록 법규는 복잡해지고 늘어나게 된다.
상호 신뢰하지 않을수록, 배타적이고 이기적인 사회로 악화될수록, 관련 법규서적은 많아지고 두꺼워지게 된다.
상식이 통하는 사회로 진화하고자 한다면 올바른 상식부터 만들어가는 것이 중요하다.

7/8.

안전사고가 하루도 끊이지 않는다. 기사화되지 않던 작은 안전사

고마저 세월호 참사 이후 언론의 주목을 받는 것일까?

나라꼴이 엉망인 것은 우리꼴이 바르지 않기 때문이다.

약자를 보호하기 위한 법질서가 잘못을 처단하는 용도로 변질되었기 때문이다.

8/8.

2014년 11월 30일 12시 54분 현재 만 39세

잘못된 법은 피해자를 양산하지만, 잘못된 판결은 가해자를 양산한다. 피해자를 구제하지 못하는 법은 사회를 교란시키고, 피해자를 역으로 처벌하는 판결은 사회를 문란하게 만든다.

우리 사회는 어떠한가?

법치국가에서 삼권분립의 의의를 찾을 수가 없다.

1/8.

2014년 08월 11일 23시 13분 현재 만 39세

개인정보 활용과 보호에 대한 명확한 기준이 없는 국내 법령이 ICT 강국 대한민국의 빅 데이터 산업 발전을 저해하고 있다.

반면에, 개인정보 활용과 보호에 대한 명확한 기준이 없는 국내 법령으로, 신종 ICT 범죄가 우리나라에서 활개를 치고 있다.

2/8.

2013년 12월 06일 03시 25분 현재 만 38세

농심라면을 먹고 현대차를 타며 갤럭시폰을 사용하는 논객과 삼양라면을 먹고 쉐보레를 타며 아이폰을 사용하는 논객이 인터넷에서 세상을 논한다.

정작 세상은 요리사를 두고 기사가 모는 차를 타며 비서에게 지시하는 부류가 재단하고 있다.

3/8.

2014년 05월 09일 12시 32분 현재 만 38세

부모의 경제력으로 아이들이 설움을 느끼면 안 된다는 시민들의 우격다짐으로 교복착용, 사교육 금지, 무료급식이 제도화되었다.

그 결과 사립초, 국제중, 예중·예고, 특목고 및 자립형 사립고 학생들은 차별화된 교복은 물론, 경쟁에서도 앞설 수 있게 되었다.

4/8.

2014년 09월 11일 22시 14분 현재 만 39세

관광 비자나 워킹홀리데이 비자로 입국한 외국인에게 불법과외를 받는 청소년들이 많다.

자녀에게 원어민 영어를 가르친다고 착각하지 말라.

소기의 목적을 위해서 법을 어겨도 상관없다는, 안 걸리면 그만이라는 사고방식을 조기 교육시키는 것에 불과하다.

5/8.

2014년 10월 20일 08시 02분 현재 만 39세

정체성은 의지와 신념을 갖고 일관성이 있게 일상에서 실천할 때만 유지된다. 타인의 기준에 맞춰 살아가겠다면, 굳이 정체성을 확립할 필요가 없다.

구분함으로써 잠시 더 자유로울 수는 있지만, 구분됨으로써 결국 덜 자유로울 수도 있다는 점만 기억하자.

6/8.

2014년 9월 10일 01시 55분 현재 만 39세

효용성을 따져 소비할 때 사용하는 돈으로 수익성을 따져 투자하게 되면 자본이 된다. 현명한 소비는 국민을 부강하게 만들고, 현명한 투자는 국가를 부강하게 만든다.

그러나 어떠한 소비와 투자도 정신을 부강하게 만들 수 없다.

7/8.

2014년 10월 14일 04시 42분 현재 만 39세

제품과 서비스에 대해, 비용을 지불하고 이용하여 효용을 누린 네티즌이, 자신의 구매 행위가 기업의 성공에 기여한 것이라고 주장하는 글을 봤다.

아, 그래서 국내 유명 스타에게, 팬들이 성원한 덕분에 성공했으니까, 수익금을 기부하라고 여론 재판했었구나!

8/8.

2014년 05월 29일 20시 40분 현재 만 38세

우리나라 소비자는 신차를 살 때도 중고차 판매를 감안하여 무난한 색상을 선택하고, 살 집을 구매할 때도 시세 차익을 감안하여 중대형 단지를 선택한다.

환금성을 우선시하다 보니, 기업도 제품이나 서비스를 연구·개발하는 대신 구전 효과에만 전념한다.

제2장 1. (3)
신(神)이 아닌 인간이라서

1/11.

2015년 09월 27일 11시 26분 현재 만 40세

구원자가 존재한다고 가정하자. 그 구원자가 인류를 도와주기 위해 나타났다고 가정하자. 인류는 그 구원자를 성경이나 코란을 근거로 검증할 것인가? 종교 지도자의 추대나 신자들의 투표로 결정할 것인가?

구원자마저 교인의 시험에 들어야 하니, 아이러니 하다.

2/11.

2014년 10월 26일 17시 12분 현재 만 39세

일부 개신교 신자의 위선적인 독선은 정작 자신은 종교의 자유를 누리면서 타인 역시 누려야 할 종교의 자유를 침해하는 것이다.

내가 불신 지옥에 가든 말든 무슨 상관인가! 선교까지 실패하면 결코 예수 천국으로 갈 수 없는, 죄 많은 인간의 역설이 아닌가?

3/11.

2014년 03월 06일 02시 06분 현재 만 38세

메시아, 마흐디, 미륵불 등등으로 불리는 구원자에게 주어진 세 가지 선택:
- 대중이 기대한 대로 세상을 구원한다.
- 예상치 못하게 세상으로부터 외면당한다.
- 세상을 구하러 왔다가 벌하기로 한다.

어떤 선택을 하든, 내 삶에 달라질 것은 없다.

4/11.

2014년 09월 28일 05시 38분 현재 만 39세

아무것도 모르는 아기가 평생 아기로 살다가 아기로 죽는, 아기 밖에 없는 세상은 깨달음을 얻어야 볼 수 있다.

깨달은 자는 빛이 되어 아기가 살아야 할 세상을 환히 비추지만, 깨달았다고 착각하는 자는, 오갈 데 없는 아기들 위에, 헛된 희망을 미끼로, 군림한다.

5/11.

우리나라에서 종교 집단이 위세를 떨치는 이유는 무엇인가?
어떤 신도든 일단 반겨주기 때문이다.

우리나라에서 무속 신앙이 위세를 떨치는 이유는 무엇인가?
어떤 고민도 일단 들어주기 때문이다.

종교인과 무속인의 득세가 어쩌면 당연한 일인지도 모른다.

6/11.

누구든 옳고 그름을 논할 수 있으며 누구나 올바른 언행을 해야
하는 세상이기에 자신의 그릇된 언행도 타인이 모르면 괜찮다고
믿는다.

얼마나 어리석은가!

당신의 세상에서 당신이 그릇된 언행을 했다는 것을 스스로 알고
있는데 누가 더 필요한가?

7/11.

2014년 05월 13일 12시 57분 현재 만 38세

옳은 것과 좋은 것 중 어떤 것을 선택하든 그것은 개인의 선택이다. 옳지 않은 것이 진실일 때도 있다. 그 진실을 좋다고 선택했다면, 이것이 옳은 것이라고 거짓말만 하지 말자.

쉽고 편한 것을 선택하면서 좋은 게 좋다며 정당화만 하지 말자.

8/11.

2014년 08월 18일 04시 17분 현재 만 39세

윗물이 맑아야 아랫물도 맑다는 정치적인 말은, 소위 사회지도층 인사가 스스로를 성찰하며 과오를 경계할 때에 그 가치가 있는 것이지, 자기 자신의 과오를 덮거나 정당화시키기 위한 대중의 옹색한 변명으로 변질되어서는 안 된다.

노예근성과 다를 바 없다.

9/11.

2014년 05월 02일 23시 36분 현재 만 38세

세월호 참사 당시의 상황 요약:

주마간산, 각주구검, 중구난방, 설왕설래, 경거망동, 오비이락,
침소봉대, 호가호위, 부화뇌동, 중언부언, 첩첩산중, 연목구어,
하석상대, 허장성세, 견강부회, 혹세무민, 후안무치, 적반하장,
만시지탄, 사면초가, 고립무원.

10/11.

2014년 03월 29일 18시 49분 현재 만 38세

죄인을 쉽게 너그러이 용서하는 것을 관용이라고 착각하지 말자.

관용이란, 죄인이 스스로 참회할 수 있도록, 시간과 기회를 주는
것이다.
왜 죄를 저질렀는지 넓은 마음으로 이해하고 죄인을 미워하지 않
는 것이다.

공정히 죗값을 치르게 도와주는 것이 용서다.

11/11.

2013년 06월 13일 17시 34분 현재 만 37세

누구나 실수할 수 있다.

그러나 사람이 살다보면 실수할 수도 있다는 말은, 그 실수로 인

해 피해를 받은 자가 관용을 베풀며 할 수 있는 말이지, 실수를 저지른 당사자가 당당히 할 수 있는 말이 아니다.

이런 것마저 글을 쓰게 되는 세상이다.

제2장 2.
미래는 불확실하지 않다

1/2. 불확실한 현재

2009년 09월 30일 14시 50분 현재 만 34세

우리나라가 인권 후진국이 된다고 해도 상관없다. 전 세계의 모든 인권 단체에서 대한민국 정부와 국민은 인권을 보호하지 않는다며 성명을 내고 비난해도 나는 괘념하지 않을 것이다.

모든 것이 불확실한 현재에, 나는, 파렴치범에게 법정 최고형이 구형되는 나라가 우리 대한민국이면 좋겠고, 인신매매나 강간, 조직 폭력과 같은 악질 범죄에 대해 무관용 원칙[Zero Tolerance]이 적용되는 국가가 우리 대한민국이면 좋겠으며, 흉악범은 물론 경제 사범의 신상 정보까지도 모두 공개되는 국가가 바로 우리 대한민국이면 좋겠다.

작년 말에 경기도 안산시 단원구에서 발생한 천인공노할 여아 강간 사건이 언론을 통해 재조명되었다. 당시 불과 여덟 살의 여아는 참혹한 성폭행과 상해에 의해, 정신적인 고통은 물론이고, 앞으로 회복조차 불가능한 신체적 장애를 안고 살아야 한다.

강간을 저지른 조모씨는 이미 이십오 년 전에 강간치상죄로 징역 삼 년을 선고받은 전력이 있음에도 불구하고, 나이가 많고 술을 먹은 심신미약 상태가 참작되어 징역 십이 년을 확정 받고 수감된 상태다.

왜 우리의 법질서는 범죄자의 처벌에 이렇게 관대할까! 인간이 살다보면 실수할 수도 있기 때문인가?

믿기 어렵겠지만, 벌금형 이상의 형벌을 한 번이라도 받은 대한 민국의 누적 전과자수는 천여만 명에 달한다. 우리나라 전체 인구의 이십 퍼센트가 넘는 국민이 이미 전과자인 상황에서, 어쩌면 우리의 법질서는 점점 더 관대해질 수밖에 없을 지도 모른다.

이미 확정된 사법부의 판결에 대해, 삼권마저 분립된 자유 민주주의 법치국가에서, 나도, 당신도, 대통령도, 바꿀 수 있는 것은 하나도 없다.

나는 누구에게, 누구와 함께, 조모씨 여야 강간 사건에 대한 정당한 분노를 어디에, 어떻게 항의해야 하는가?

2/2. 불확실하지 않은 미래

2009년 09월 30일 18시 02분 현재 만 34세

반드시 일어날 것이다. 조모씨는 출옥할 것이다.

십이 년의 형기 동안 이미 주님으로부터 모든 죄를 용서받은 그는 독실한 신자로 환히 웃으며, 우리 사회로 다시 돌아올 것이다. (그가 어떤 종교를 믿든 중요하지 않다. 그 어떤 종교도, 죄를 뉘우치면, 차별 없이 용서해주기 마련이다.)

아무도 모른다. 회개의 눈물을 흘리며 간증하는 그의 모습에, 그를 지켜보는 교인들도 함께 눈물을 흘리며 주 예수 그리스도의 관대하고 끝없는 사랑에 감동할지도 모른다.

혹시 모른다. 그가 십자가를 등에 지고, 예수 천국 불신 지옥을 외치며, 서울 종로에서, 명동에서, 강남에서, 아니면 지하철 안에서, 전국 어느 곳에서, 우리 곁을 지나가며, 선교 할당량을 충분히 채워 사후 천국 진입을 시도할지, 그 누구도 알 수 없다.

우리는 여전히 모른다. 그의 얼굴조차 모르는 우리는, 그렇게 잔혹한 범행을 저지른 그의 곁을 길거리에서 아무렇지 않게 마주치고 스쳐가며 지나갈 것이다.

그가 옆을 지나치는 내게 길을 물을 수도 있다. 버스를 탔을 때 내 옆 자리에 같이 앉을 지도 모른다. 점심 식사를 하는 맞은 편 테이블에 앉아, 세상을 다 산 것 같은 미소를 짓는다면 나도 모르게 화답의 미소를 지을 수도 있다. 그냥 환갑이 지난, 우리네 노인이라고 생각하지 않겠는가!

아직은 모른다. 그러나 십이 년 뒤에 누군가에게는 반드시 일어날 일이라는 것을 우리는 분명히 잘 알고 있다.

우리가 원하는 미래는 과연 이런 세상일까? 어쩌면 우리는, 아무렇지도 않게, 미래는 바꿀 수 없다며, 나만 아니면 된다며, 나만 잘 살면 된다며, 수수방관하고 있는 것은 아닐까?

나는 불확실하지 않은 미래를 지금 당장 바꾸고 싶다. 당신의 도움이 필요하다.

1/8.

2014년 11월 30일 16시 36분 현재 만 39세

콘돔 착용 이외에 국내 에이즈 환자 확산에 무슨 방안이 있는 가? 대출 광고, 상조 광고, 보험 광고로 전파 낭비하지 말고, 차라 리 공중파 및 케이블, DMB 매체의 매 방송 직전에 콘돔 착용 홍 보 광고를 의무화하라.

버려지는 아이마저 줄어들 것이다.

2/8.

2014년 04월 12일 14시 47분 현재 만 38세

얄궂게 근육질 몸매나 만들어, 달면 삼키고 쓰면 뱉는, 무책임한 남성을 상남자라며 치켜세우는 문화 수준이라면, 문명의 혜택을 받 지 않고 사는 원시 부족과 다를 바 없는 것 아닌가?

차라리 생식기 크기를 기준으로 사회 경제적 지위를 부여하라.

3/8.

직역의 좋은 예:

Once a Marine, always a Marine.

한 번 해병은 영원한 해병.

의역의 나쁜 예:

Once a cheater, always a cheater.

살다 보면 그럴 수도 있지, 애들 봐서라도 용서하고 살아.

4/8.

우리 세대는 "어머니는 자장면이 싫다고 하셨어."라는 노래 가사로 우리 부모님 세대를 떠올린다.

과연 다음 세대는 우리 세대를 어떻게 기억할 것인가?

"아저씨는 술김에 저질렀다고 하셨어."

이런 노래 가사로 우리 세대가 비난받지 않기를 바랄 뿐이다.

5/8.

조모씨 여아 강간 사건부터 칠곡 계모와 친부의 여아 학대 치사 사건까지 수많은 아동 범죄를 보며, 모범적인 부모님의 보살핌 아래 정겨운 이웃과 더불어 성장하게 된 것을 감사하게 된다.

부모 같지 않은 부모와 이웃 같지 않은 이웃이 너무 많다.

6/8.

발정이 난 대한민국에서 자유의사에 따라 성관계를 가질 수 있는 미성년자의 기준은 만 십삼 세이다. 서로 사랑한다면, 성매매가 아니라면, 속여서 성관계를 맺지 않는다면, 성인이 중학생과 성관계를 가져도 정당하고 합법적인 무죄가 된다.

미친 나라가 아닌가!

7/8.

십삼 세의 중학생이 사랑하는 성인과 성인 영화를 같이 보는 것은 불법이지만, 함께 성행위를 하는 것은 합법이며, 자신보다 나이가 많은 미성년자가 등장하는 음란물을 보는 것은 불법이다.

대법원이 이런 판결을 내린 것도 어이없지만 침묵하는 여성가족부도 우습다.

8/8.
2013년 08월 02일 18시 53분 현재 만 38세

흑인 노예 해방과 여성의 참정권, 동성애자의 결혼 등을 예로 들며 단기적으로 불가능해 보여도 장기적으로 사회는 계속 발전한다고 말하는 인간들이 있다.

과연 그러한가?

환금성을 가진 가치가, 경제 주체가 제로섬 게임처럼 우위를 맞바꾸고 있을 뿐이다.

제2장 2. (2)
돈에 굶주리다

1/8.

2014년 09월 04일 01시 48분 현재 만 39세

물질 만능 주의 세상에서 가장 정직한 것이 돈이다. 특히 TV 광고를 보면, 우리나라의 속살이 아무렇지 않게 드러난다.

대부업 광고는 둘째 치고, 음주로 인한 심신 미약 범죄가 증가해도, 여전히 주류 광고를 허용하는 그 적나라한 속내를 보라!

2/8.

2014년 06월 12일 04시 25분 현재 만 38세

인간의 가장 훌륭한 속성은 친절이다. 친절을 강제하기 위해 세상은 종종 필요 이상의 위험비용을 요구한다.

지불하는 가격이 높으면 높을수록, 고객이 느끼는 주관적인 불편이나 불쾌감에 대해 더 만족스러운 사과와 보상이 보장된다.

3/8.

2014년 12월 04일 17시 10분 현재 만 39세

먹고 남은 것을 파는 것이 아니라, 팔고 남은 것을 먹는다.

돈에 눈이 멀어 돈이라면 간과 쓸개마저 다 팔아버리니, 손님은 왕이라는 잘못된 인식과 문화로 인해, 어느덧 인간의 존엄성보다 고객 만족이 우선시된다.

모든 가치를 환금화한 폐해다. 주객이 전도되었다.

4/8.

2014년 11월 29일 11시 38분 현재 만 39세

대영제국은 아편의 밀수출로 산업 혁명 이후의 무역 적자를 해소하려 했다. 1729년 청나라 최초의 아편금지령이 내려졌지만 사회 지도층부터 노비에 이르기까지 폭발적으로 늘어나는 아편 중독을 막을 수 없었다.

우리나라는 돈과 성(性)이라는 아편에 중독됐다.

5/8.

2014년 11월 25일 20시 38분 현재 만 39세

동료가 자살해도 모르는 척 근무하는 근로자와 직원이 자살해도 인건비를 줄인다며 해고를 통보하는 사용자, 누가 자살하든 내 돈인데 내 마음대로 하겠다는 소비자가 모여 사람 냄새 진하게 여론재판을 한다.

따지고 보면, 제각각 효율적인 선택을 한 것뿐이다.

6/8.

2014년 03월 05일 16시 09분 현재 만 38세

돈만 주면 뭐든 하는 인간이 존재하는 한, 돈만 있으면 뭐든 할수 있는 유전(有錢) 천국 무전(無錢) 지옥은 유지된다.

돈만 있으면 다 되는 세상이라니!
부유한 자는 세상을 다 가진 것처럼 기쁜 목소리로 외쳐도 좋다.

7/8.

2014년 03월 26일 14시 18분 현재 만 38세

법을 지키며 생활하는 것은 대형 마트에서 바코드가 찍힌 제품을

구매하는 것과 같다.

보석금은 논외로 하더라도, 가해자가 공탁금을 예치하면 형을 감하는 일부 판례를 보면, 안 되는 흥정도 벌여야 하는 사람에게는 여전히 유전무죄 무전유죄 세상처럼 보이지 않을까?

8/8.

2014년 11월 30일 16시 55분 현재 만 39세

대한민국의 법적 나이:

· 13세: 사랑하는 이와 성관계
· 15세: 취업 (중학생이 아닌 경우)
· 18세: 자동차 운전면허 취득
· 19세: 흡연 및 음주, 투표권

나는 13세에 부모가 될 수 있고 15세에 취업을 할 수 있는 나라에 살고 있다!

1/9.

2014년 11월 14일 12시 28분 현재 만 39세

예쁘고 잘생긴 사람이 공부도 잘하고 마음씨마저 착한 세상이 되었다. 유복한 가정환경에서 성장한 자녀가 훨씬 더 품행방정하고 예의까지 바른 세상이 되었다.

세상만사 불공평하다고 악을 쓰기 전에, 먼저 마음의 거울부터 보자. 닭이 먼저냐, 달걀이 먼저냐?

2/9.

2014년 04월 28일 10시 33분 현재 만 38세

할리우드의 재난 영화를 보면 미국 대통령이 손수 전투기를 몰고 외계인과 맞서 싸우거나, 비행기 납치범을 격투로 직접 제압하는 장면 등 성조기가 휘날리며 전 세계가 환호하는 프로파간다만큼이나 낯 뜨거운 장면이 많다.

우리 국민이 요구하는 현실 아닐까?

3/9.

2014년 05월 07일 23시 23분 현재 만 38세

정의감이 넘치는 용감한 사람. 기꺼이 양보하고 희생하는 사람. 명석하고 가치관이 바른 사람. 사랑하는 사람을 지킬 줄 아는 사람. 그럼에도 불구하고, 자신의 선행을 결코 드러내지 않는 사람.

오늘날 시민이 아닌 슈퍼 히어로가 갖춰야 할 덕목이다.

4/9.

2015년 10월 03일 10시 55분 현재 만 40세

나의 불행이 타인에게 기회가 되고, 타인의 불행이 나에게 이익이 되는 세상은, 경쟁 사회의 이기적인 단면이다.

자신의 상처를 통해 타인의 슬픔을 치유하는 사회와 타인의 기쁨을 통해 자신도 희망을 되찾는 사회는, 이제 우리 대중문화의 가상 현실이 되었다.

5/9.

2014년 12월 18일 05시 47분 현재 만 39세

포퓰리즘은 질적인 하향평준화를 가속화한다.

무책임한 언론과 배타적인 이익집단은 편향된 여론 재판의 정당성을 위해 기형적인 그들만의 일그러진 영웅을 만들어 낸다.

단식을 하든, 시너를 뒤집어쓰든, 관심의 대가로 요구하는 결말은 항상 적절한 보상이다.

6/9.

2014년 04월 20일 21시 15분 현재 만 38세

규정[FM, Field Manual]대로 처리하는 것을 고지식하고 융통성 없다고 비난하는 대중이 존재하는 한, 세월호 참사와 같은 비극은 무한 반복될 것이다.

우리 사회에 만연한 무사안일주의를 깨뜨려야 시쳇말로 재수 없어서 당하는 인재가 줄어들 수 있다.

7/9.

2014년 04월 21일 21시 07분 현재 만 38세

세월호 사고가 육 일째 이십사 시간 보도되고 있다.

무임승차는 단속되고 있는가? 화물의 과적 여부는 확인되고 있는 가? 안전교육은 실시되고 있는가?

일주일 전이나 오늘이나, 내가 건널목을 건널 때마다 도로 위의 운전자들은 여전히 교통 신호를 무시하고 있다.

8/9.

2013년 12월 17일 16시 44분 현재 만 38세

고등학교를 다닐 때 데모하는 대학생들을 이해할 수 없었다.
대학교를 다닐 때 파업하는 직장인들을 이해할 수 없었다.
직장을 다닐 때 탈세하는 자영업자들을 이해할 수 없었다.

내가 겪어보니 이해는 할 수 있더라.

그렇다고 용납되는 것은 아니다.

9/9.

2014년 06월 05일 00시 01분 현재 만 38세

선거를 통해, 가치관이 다른 사람의 힘을 체감하게 되는 일은 충 격적이다.

모사꾼을 지지하며 삶의 변화를 모색하는 시민들이 많다. 그들의 선택에 대해, 현재의 선택에 따른 미래의 결과에 대해 나는 비판하지 않겠다.

누가 당선되든, 내 삶은 변하지 않기 때문이다.

사진 ⓒ 김도윤, 2016

제3장
우리는 소통할 수 있을까

2009년 10월 29일 16시 02분 현재 만 34세

우리는, 각자의 가치관에 따라, 때로는 구속력을 갖는 사회의 합의나 암묵적인 동의에 따라, 제각각 특정 생물체와 관계를 정립한다. 현재 우리 사회에는 개나 돼지를 반려동물로 받아들이는 사람이 있고, 음식의 재료로 개고기나 돼지고기를 먹는 사람도 있다.

지능이라는 하나의 기준으로만 관계를 정립한다면, 지능이 더 높은 생명체가 지능이 더 낮은 생명체와의 관계 여부를 결정할 수 있다고 볼 수 있다. 극단적으로 말해서, 우리는 개나 돼지를 감정을 가진 생물체로 존중하며 함께 공존할지, 아니면 꽤 맛이 좋은 식자재로 소비할지 선택할 수 있다. - 참고로, 개와 돼지의 지능은 삼 세 유아와 유사하다고 알려져 있다.

지능이 서로 유사한, 인간의 지능에 상당히 근접한 두 생명체인 돌고래와 침팬지 간의 관계 정립은 누가 결정할 수 있을까?

일단, 물에서 생활하는 돌고래와 육지에서 생활하는 침팬지는, 배타적인 물리적 환경 차이에 의해 서로 관계를 정립할 수 없다. 즉, 침팬지가 존재하든 말든 돌고래의 삶은 변하지 않으며, 돌고래들이 어떤 삶을 영위하든 상관없이 침팬지들의 세상은 달라지지 않는다. 물론, 양손으로 도구를 사용하는 침팬지가 일대일 대응에서 더 유리하다고 생각할 수 있을 지도 모르지만, 물리적 환경의 한계를 넘어설 수 없기에 아무런 가치를 갖지 못한다. 만약, 침팬지들이 음파 탐지기가 장착된 어선을 제작하고 이를 활용하여 돌고래를 포경하기 시작한다면, 그 관계는 비로소 달라질 것이다.

만약 인간보다 더 지능이 뛰어난 외계인이 존재한다면, 그들과 우리의 관계는 누가, 어떻게 결정하게 될까? 관련 주제에 대한 소견을 펼치기 전에, 먼저 다른 예를 살펴보도록 하자. 오늘날의 우리 사회에는 귀신이나 유령과 대화한다는 사람들이 있다. 인당 오만 원이나 십만 원의 복채를 받고 장군님이나 신령님, 조상신 등등을 통해 개인의 미래를 미리 알려주는 무속인들이 그 단적인 예이다. 신병이나 빙의처럼 최신 과학이나 정신 의학으로도 명확하게 본질을 밝혀내지 못하는 기이한 현상도 있으며, 굿판이라는 소위 나쁜 액운을 물리치는 의식을 위해 수백만 원에서 수천만 원의 돈을 요구하거나, 지불하는 사람도 엄연히 존재한다.

그런 특별한 사람과 일반 평범한 사람의 관계는 현재 누가 어떻게 결정하고 있는가? 전 세계 각 나라의 문화와 역사 속에서 오컬트가 종교 또는 정치와 결합되어 하나의 대민 통제수단으로 이미 악용된 바 있음을 떠올리자.

우리 주변에는 자신이 예언가라고 주장하는 사람들, 외계인과 채널링을 한다는 사람들, 죽었다가 다시 살아났다는 사람들, 타임머신을 타고 미래에서 왔다는 사람들 등등 별별 사람들이 많다. 그들은 신흥 종교의 교주와 같은 언행을 하고, 다중 인격 환자와 같은 언행을 하며, 우리가 눈으로 확인할 수 없고 귀로 들을 수 없는 소위 귀신이나 영혼들과 소통한다는 무속인과 유사한 언행도 한다. 때로는 불가지론을 내세우는 현학자 행세를 한다. 그들의 말을, 예언을, 주장을 우리는 액면 그대로 받아 들여야 하는가?

믿고 싶은 것과 믿는 것은 다르다. 채널러나 예언가, 사후 체험자, 시간 여행자 등등의 몽환적인 동시에 너무나 인간적인 이야기를 나는 믿지 않는다. 미국이나 기타 다수의 외국 정부가 눈이 커다란 그레이 외계인과 수십 년 간 비밀리에 접촉하고 있다는 음모론도 다를 바 없다.

만약, 언젠가 외계인과 인간과의 관계 정립이 결정되는 순간이 도래한다면, 이는 개 혹은 돼지와 인간의 관계처럼 일방적이거나, 돌고래와 침팬지의 관계처럼 서로 배타적일 것이라고 나는 확신한다. 전자의 경우라면, 아무리 대비를 한다고 해도, 각 생명체 본질적인 한계성으로 인해 그 종의 수준차이를 뛰어넘기 힘들 것이며, 후자의 경우라면, 결국 인간의 삶에서 달라질 것은 아무 것도 없기 때문이다.

그렇다면 정작 우리 사회에서 우리 상호간의 관계는 누가, 무엇을 근거로 결정하고 있는가? 미래에 변동할 수 있는 학력, 자산 혹은 직업 등과 같은 현재의 기준인가, 아니면, 미래에 결코 바뀔 수 없는 부모, 고향, 생일 등과 같은 과거의 기준을 근거로 관계를 정립하고 있는가?

  우리 상호간의 관계는 개 혹은 돼지와 인간의 관계인가, 아니면 돌고래와 침팬지의 관계인가?

  경영자나 지배주주의 독재가 허용되는 자본주의와 어설픈 삼권분립으로 결국 아무런 변화도 일관성 있게 추진될 수 없는 대의민주주의가 최선인 세상에서, "산 사람은 살아야지"라고 말하는 것이 미덕이고, 오늘의 적이 내일의 친구가 될 수 있다고 가르치는 기회주의적인 발상이 통용되는 사회인데도, 결국 돈 없고 아프면 서럽다고 하는 우리의 적나라한 현실을 감안할 때, 우리 상호간의 관계가 어떻든 상관없이, 과연 우리가 지성인으로서, 문명인으로서 서로 소통하고 있다고, 아니 지성인답게, 문명인답게 서로 존중하며 소통할 수 있다고 감히 말할 수 있을까?

제3장 1.
디지털 피리를 부는 임금님

2004년 04월 17일 07시 11분 현재 만 28세

1/3.

마음이 깨끗한 사람만 산다고 소문이 난 나라의 임금님은
오늘도 어제처럼,
마음이 깨끗한 사람만 들을 수 있다는 디지털 피리를 부는데,

마음이 깨끗하다고 소문이 난 임금님이 6/45박자로
아무렇게 디지털 피리를 불 때마다,
미리 저장된 반도체 칩을 통해
듣기 좋은 디지털 피리 소리가 대신 흘러나오고,

진짜 피리 소리가 아닌
＋ 이온과 － 이온이 만드는, 디지털 피리 소리에 맞춰
잔뜩 목청을 높인 어린 백성들의 립싱크 합창은

오늘도, 어제처럼 계속되지만,

2/3.

마음이 깨끗하다고 소문이 난 나와
내가 혼자 몰래 바라보는 거울 속의 나를 두고,
무엇이 솔직한 나인지
거울 속의 내가, 마음이 깨끗하다고 소문난 내게 묻는다면,
나는 어떻게 대답해야 소문대로 마음이 깨끗한
내가 되는 것인지.

3/3.

마음이 깨끗한 사람만 산다고 소문이 난 나라의 임금님은
오늘도, 어제처럼 거리로 나와
마음이 깨끗하다고 자부하는 백성들의 앞장을 서며
마음이 깨끗한 사람만 들을 수 있다는 디지털 피리를 부는데,

벌거벗은 몸이 부끄러운 나는
오늘도 어제처럼, 마음이 깨끗한 사람이 산다고 소문이 난
집을 나서지 못다.

1/10.

2015년 08월 04일 03시 24분 현재 만 40세

모든 국민이 똑똑해져야 한다.

지도자가 더 현명해져야 한다.

언제까지 요리조리 눈치를 살피고 요령을 부리며 강대국의 뒤만 쫓아갈 것인가? 교육과 소통의 힘이 필요하다.

무릅쓰지 않으면 존중받을 수 없다.

정신을 차리자. [いい加減に目覚めなさい。]

2/10.

2014년 10월 02일 10시 17분 현재 만 39세

중국이 '위'라면, 일본은 '오'일 것이고, '익주와 형주'가 바로 우리나라일 것이다.

북한에 해당되는 '서천'을 통일한 뒤 '촉'으로서 동북아 삼분지계를 이루고자 한다면, 지금 유비에게 필요한 것은 세수 확보나 민심 수습이 아닌 인재 등용이다.

3/10.

2013년 09월 26일 12시 10분 현재 만 38세

조조가 사마의를 중용하지 않았던 것처럼 위정자는 자신보다 뛰어난 인재를 꺼린다.

우리 각료의 리더십은 어떠한가? 가계부 수준의 예산 편성과 입법 활동을 하는 국회에 발목을 잡혔다.

위·촉·오 삼국정립은 초야의 제갈량을 유비가 삼고초려로 등용하고 또 중용했기에 가능했다.

4/10.

2013년 10월 03일 14시 23분 현재 만 38세

리더십이라는 단어 앞에 흔히 독선적이라는 수식어를 붙인다. 하나 밖에 할 줄 모르는 사람도 독선적인 대장 앞에서는 그마저 제대로 못하는 쓸모없는 인간이 된다.

똑바로 하는 부하가 없다고 한탄하기 전에 독선적인 자신의 리더십을 성찰할 필요가 있다.

5/10.

2014년 06월 29일 01시 31분 현재 만 38세

나는 여러 대선 후보들의 스펙을 고려하여 그녀를 대통령으로 선택하지 않았다. 그녀의 가치관을 높이 평가했기에 그녀를 선택한 것이다.

하물며 대통령이라는 사람이 스펙 위주의 이력과 경력만을 고려하여 청와대 비서실 및 총리, 장관 인선을 고집하고 있다.

6/10.

2014년 12월 04일 16시 13분 현재 만 39세

인간은 실수할 수 있다. 똑같은 실수를 반복해서는 안 된다. 사귀는 사람마다 알코올 중독자이고 가정 폭력자라면, 자신의 사람 보는 눈을 탓해야지 왜 콩깍지 밖의 세상을 한탄하는가?

지도자의 가장 정직한 고백은 인선이다.
선택에 대한 책임도 지도자의 것이다.

7/10.

장고하지 말자.

아무리 안전한 선택을 한다고 해도, 결국 그 누구도 아무런 위험 부담 없이 미래를 제시할 수 없다.

지도자는 매 순간 실패의 부담을 안은 채 선택해야 한다. 의사결정이 늦으면 늦을수록, 불확실한 변수와 기회비용은 걷잡을 수 없이 증가한다.

8/10.

치킨 게임에서 승자가 되기 위한 핵심 요소는 소신도 결단도 당위도 아니다. 끝없는 설득이다.

지도자의 독단적인 의사결정에 대해 승패가 결정되는 순간까지 이해당사자가 얼마나 동의하고 인내하며 지지하느냐에 따라 승부가 갈린다.

우리네 민주주의에서 가능한가?

9/10.

대선 후보자였다면 바로 현장에 갔을 것이다. 실종 학생 부모들의 손을 꼭 잡았을 것이다. 과거 온갖 재래시장을 돌아다니며 악수하느라 손에 파스를 붙였던 선거의 여왕 아니던가?

대통령이 되고 나서 그녀는 국민 대신 국정을 선택하고 있다.

10/10.

여당의 역할이 정책을 주도하는 것인가?
야당의 역할은 정책을 반대하는 것인가?

각자 세상에 기여할 수 있는 역할이 무엇인지, 무엇을 위해서, 누구를 위해서 어떤 미래를 만들어야 하는지 논의하고 공감할 필요가 있다.

더 늦기 전에 시작해야 한다.

1/10.

2014년 10월 18일 04시 00분 현재 만 39세

우리가 '이것이 진실'이라고 북한으로 전단을 살포하는 것처럼, 북한도 '이것이 진실'이라며 우리의 인터넷이나 SNS에 글이나 댓글을 게시하는지도 모른다.

표현의 자유를 보장하기 위해서라도 금융권의 공인인증서와 같은 제도적 장치가 필요한 것은 아닐까?

2/10.

2013년 04월 06일 03시 12분 현재 만 37세

한반도에 전쟁이 발발한다?

정권이 바뀔 때마다, 차세대 무기 도입이 거론될 때마다, 주식이

나 외환시장에서 대규모의 작전이 계획될 때마다 떠든다.

재주는 북한이 부리고, 알토란같은 우리나라의 국부는 해외 기관 및 투기 세력에게 유출된다는 불편한 진실.

3/10.

2014년 10월 25일 08시 59분 현재 만 39세

질문: 모르는 인간이 왜 내 인생에 훈수를 들까?

오답: 넓은 오지랖, 선의의 경쟁, 넘치는 애정 등
정답: 시험이 끝나자마자 정답도 발표되기 전에 옆 사람과 답을 맞춰보며 심리를 안정시키는 행위

참고: 공포를 조성하는 것이 가장 효과적인 마케팅이다.

4/10.

2014년 11월 29일 12시 04분 현재 만 39세

'선진' 미국은 소비하고 '후진' 중국은 생산하며 '중진' 대한민국 은 투자한다.

중국산 곰이 우리나라에서 조련되어 미국에서 재주를 부리는 것

처럼, 중국은 생산 원가를 챙기고 우리는 유통 마진을 챙기며 미국은 영업 이익을 챙긴다.

재주도 보고, 돈을 버는 자가 주인이다.

5/10.

2014년 09월 02일 03시 03분 현재 만 39세

1948년 정부수립 이후, 자원이 전무했던 두 나라의 다른 선택;

대한민국: 전자·자동차 제조업, 제철업, 조선업, 건설업, 무역업
이스라엘: 우주·항공업, 방산업, 의약업, 금융업, 솔루션 컨설팅

더 철저히 대비한 나라는 어디인가?

6/10.

2014년 05월 14일 20시 08분 현재 만 38세

미화 근간의 환율 제도와 미국 경제와 연동되는 금융 시장, 미국식 시장 경제, 그리고 미군에 의존하는 국방력.

독자적인 언어와 문자를 가진 사회 중 최근 사회적 소요사태를 겪고 있는 국가의 공통분모이다.

우리나라도 예외가 아니다.

또 다시 제국주의가 도래한 것인가?

7/10.

2014년 03월 19일 11시 25분 현재 만 38세

무력침공이 아닌 국민투표로 냉전 시대가 다시 열렸다.
자본주의와 결합된 민족주의는 민주주의의 틀에서 총성 없는 제삼 차 세계대전의 서막을 알리고 있다.

먹고 살기 위해 한강의 기적을 이룩한 우리의 운명은 여전히 주변 강대국의 입김에 달려있는가?

8/10.

2015년 08월 22일 11시 20분 현재 만 40세

남북이 군사적 충돌위기를 피하기 위해 판문점에서 사흘째 남북 고위급 회담을 하고 있다. 그 사실 자체만으로도, 남북 모두 전면전을 전혀 원하지 않는다는 공식적인 공동 성명과 다를 바 없다.

한반도 위기를 마케팅 전략으로 활용하는 제삼자는 누구인가?

9/10.

2015년 08월 22일 11시 20분 현재 만 40세

한반도 긴장고조로 휴가를 취소한 아베 총리와 달리 오바마 대통령은 워치콘 투로 상향된 상황에서도 여전히 휴가를 즐기고 있다.
9·11 테러 당시 유치원에서 I, Pet Goat를 거꾸로 들고 있던 부시 대통령이 떠오른다.

물론 아무 연관성도 없을 것이다.

10/10.

2014년 09월 01일 03시 35분 현재 만 39세

우크라이나 사태를 타산지석으로 삼아야 한다.
주한미군은 미국의 이익을 위해 존재하는 것이지 우리나라의 안보를 위해 파견된 것이 아니다.

허울 좋은 무역 강국보다 언제 어디서 제삼 차 세계 대전이 일어나든, 관망할 수 있는 자생력과 방위력이 필요하다.

1/10.

2014년 02월 13일 18시 32분 현재 만 38세

독도나 이어도는 차치하더라도, 최근 수년간 국내외적으로 우리 원양 어선의 피랍이라든가 배타적 경제 수역, 남극 기지, 원유 유출 사고 등 많은 이슈가 있었다.

내가 독재자라면, 국회의원이 아닌 전·현직 해군 제독을 해양 수산부 장관으로 임명했을 것이다.

2/10.

2014년 11월 10일 09시 45분 현재 만 39세

원칙은 개개인의 지표가 아니라 구성원의 집합 즉 조직이나 사회의 방향성이라는 것을 지도자는 깨달아야 한다.

원칙은 팔로워십의 기준이 될 수 있어도, 리더십의 근거가 될 수 없다. 뭘 어떻게 해야 할지 모르는 무능한 지도자가 원칙만 들먹이는 법이다.

3/10.

2014년 09월 15일 05시 39분 현재 만 39세

사고·판단력과 지식 및 정보가 부족한 사회 경제적 약자들에게 다수결을 운운하며 의사결정을 맡긴 뒤에, "절차와 결과가 민주적인데 무슨 문제인가?"라고 말하는 것이 요즘 우리나라의 정치다.

무책임한 포퓰리즘은 무능한 독재와 다를 바 없다.

4/10.

2014년 03월 03일 14시 33분 현재 만 38세

내가 독재자라면, 일인당 국민 소득이라든가 무역 수지 규모, 국내 총생산 성장률, 출산율 따위를 지표로 삼지 않을 것이다.
이혼율, 사고율, 범죄율, 자살률 등 다른 통계를 근간으로 로드맵을 만들 것이다.

성장도 분배도 아닌 정답이 존재한다.

5/10.

건강에 유해하다는 이유로 흡연을 규제하겠다면, 음주와 패스트 푸드, 반조리 식품까지 손봐야 할 것이다. 타인에게 피해를 준다는 이유로 흡연을 규제하겠다면, 비행기에서 울거나 공공장소에서 뛰어다니는 아이의 부모까지도 손봐야 할 것이다.

전체주의 2.0인가?

6/10.

대통령의 경제혁신 대국민 담화를 시청하며 문득 이십 년 전에 학부생이었을 때 들었던 지루한 원론 강의가 떠올랐다. 현실에 대한 냉철한 인식을 바탕으로 구체적인 청사진을 제시하는 전공 필수 강의를 기대하는데, 매번 교양 선택 강의를 듣는 셈이다.

7/10.

보이지 않는 손이 결정하는 전 세계 경쟁시장에서 최대 자유 무역 협정국의 하나인 우리나라의 경제민주화와 발전은 민간 부문의 역할이지, 작은 정부가 고민해야 할 분야가 아니다.

내가 독재자라면, 우선 공무원의 역량을 중점적으로 살펴보겠다.

8/10.

2015년 08월 20일 16시 31분 현재 만 40세

북한의 지도자가 완전무장한 전시 상태 진압 명령을 내리자, 우리 정부는 개성 공단 입주 기업의 직접 관계자 외에는 출·입경을 제한시켰다.

지뢰 도발로 경제적 이익을 얻는 제삼자는 누구인가? 물질 만능주의 세상의 지도자라면, 배후를 색출할 줄 알아야 한다.

9/10.

2014년 11월 03일 07시 53분 현재 만 39세

약육강식의 세상에서, 무엇을 어떻게 해야 할지 모른 채 분위기에 휩쓸려 사는, 절대 다수의 약자를 위해, 지도자로서 반드시 행해야 할 최소한의 의무는, 아무리 최악의 상황이라 할지라도, 여전히 선택의 여지가 남아 있음을 인지하여, 이를 대중에게 피력하는 것이다.

10/10.

2014년 11월 02일 18시 23분 현재 만 39세

아무나 정치인이 될 수 있는 세상에서, 프로와 아마추어를 어떻게 구분할까?

- 신속한 의사결정의 질적 수준
- 의사결정의 일관성과 방향성
- 잘못된 의사결정에 대한 반성 및 성찰
- 동일한 실수의 반복 여부
- 변명 여부

2005년 09월 16일 03시 11분 현재 만 30세

권력은 누구에게 있는가?

권력은 정당성이 부여된 인간의 이기심이다. 인간의 이기심은, 불완전한 정보를 근거로, 소속집단의 단기간적 차익이 배타적으로 실현 가능할 때, 외부로 표출된다.

권력은 누구에게 있는가? 불완전한 정보를, 의도했든 의도하지 않았든 상관없이, 제공하는 사람에게 있다. 그 불완전한 정보를 전달하는 사람에게 있다. 궁극적으로, 그 불완전한 정보를 받아들이는 사람에게 있다.

결과적으로 한 국가의 권력이 그 국가의 국민으로부터 나온다는 말은 아이러니하게도 정확히 맞다. 각 개인의 수준이 결국 그 국가의 수준이다.

누가 권력을 행사하는가?

정치인이나 기업인과 같이, 표준 정규 분포에서 벗어나는 편차에 대한 질문이 아니다. 예를 들어서, 조수미와 같은 세계적인 성악가가 대한민국의 클래식 음악계에 과연 영향력을 행사하고 있는지 그 여부를 묻는 질문이 아니다.

중앙값[Median]보다는, 최빈값이 어디냐, 즉, 대한민국에서 자신이 직접 좌석을 예약하고 구매하여, 클래식 음악 연주를 즐기는 사람들이 인구 대비 몇 퍼센트나 존재하며, 그들이 인당 월간 몇 회나 공연장을 찾고 있는지, 얼마의 비용을 지불할 용의가 있는지에 대한 질문인 것이다.

결과적으로 한 국가의 클래식 음악계 수준은, 유명한 성악가나 연주자의 재능에 달려 있는 것이 아니라, 그 문화를 향유하는 불특정 다수의 대중에 의해 좌우되는 것이다.

우수한 인력에 대한 지원이나 관련 시설 및 교육 제도 확충 등을 근거로. 소위 관련 학계에서 기득권을 가진 교수나 유관 기관 또는 연주회에 거액을 후원하는 기업이 클래식 음악계에서 권력을 행사한다고 생각한다면, 이 글을 처음부터 다시, 생각이 바뀔 때까지, 읽을 것을 권한다.

나의 글, 역시, 불완전한 정보일 수 있다.

권력은 누구에게 있는가?

불완전한 정보를, 의도했든 의도하지 않았든 상관없이, 제공하는 사람에게 있다. 그 불완전한 정보를 전달하는 사람에게 있다. 궁극적으로, 그 불완전한 정보를 받아들이는 사람에게 있다.

대중이 권력을 행사하고 있다.
불완전한 정보가 권력을 휘두르고 있다.

바꿀 수 있는 권력은 당신에게 있다.

제3장 2. (1)
사람 냄새에 연연하지 말라

1/8.

2014년 04월 29일 20시 08분 현재 만 38세

서서의 추천과 안목만 믿고, 촉의 유비가 삼고초려 끝에, 장비와 관우마저 반대한, 한량과 다름없던 초야의 제갈공명을 등용하여 중용한 것은, 낙하산 인사인 동시에 코드 인사로, 언론의 비난을 받아야 마땅한 의사 결정이 된다.

스펙 지상주의 하마평의 맹점이다.

2/8.

2014년 12월 13일 17시 51분 현재 만 39세

'남이 하면 불륜이고 내가 하면 로맨스'라는 말처럼, 여론을 이해하려면 이중 잣대부터 알아야 한다.

유사한 잘못이라 할지라도, 여당 정치인 및 부유층, 정신장애인 등의 경우와 야당 정치인 및 극빈층, 신체장애인 등에 대한 비난의 온도차는 대조적이다.

편향된 언론의 책임이 크다.

3/8.

2014년 01월 29일 12시 00분 현재 만 38세

정답을 알면서도 질문을 할 때는?

- 입문: 답변자의 지식 또는 견해 확인
- 하수: 해당 내용을 대중에게 환기
- 중수: 수사의문[Rhetorical Question]
- 고수: 자신의 입장을 전달
- 사악: 답변자의 오답을 대중에게 전파

4/8.

2014년 03월 10일 11시 25분 현재 만 38세

대충대충, 설렁설렁, 쉬엄쉬엄, 다들 먹고 살자고 하는 일인데 좋은 게 좋은 거지, 그만하면 됐어.

뿌린 대로 거두는 사고가 재수 없게 터지면, 공무원은 복지부동, 당사자는 선처 호소, 언론인은 인재 운운. 시민들은 촛불 시위.

5/8.

2015년 09월 05일 22시 14분 현재 만 40세

나만 잘 살고, 나만 아니면 된다며 준법마저 취사선택하면서, 관련 법 규정이 없어서 인재 사고가 반복된다고 착각하지 말자.

먹고 살아야 하는 국민은 무죄고 약자라, 책임과 보상은 정부가 세금으로 해결해야 한다는 여론이 들끓는 나라는 망해도 싸다.

6/8.

2015년 10월 23일 01시 19분 현재 만 40세

광고와 기사가 구분 안 되는 세상.
소문과 기사가 구분 안 되는 세상.
일기와 기사가 구분 안 되는 세상.

언론인도, 포털 사이트도, 네티즌도 그 책임에서 결코 자유로울 수 없다. 먹고 살겠다고 양심을 팔아도 떳떳한 세상에서 꿈과 희망이 다 무슨 소용인가!

7/8.

_2014년 11월 21일 16시 02분 현재 만 39세_

수단과 방법을 가리지 않고 돈을 벌어 자녀를 키우고, 수단과 방법을 가리지 않고 돈을 벌어 효도를 하던 세상이 과거였다면, 나만 잘 살면 되고, 나만 아니면 되는 세상은 현재 진행 중이다.

이런 세상이 말세가 아니라면, 도대체 어떤 세상이 말세라는 것인가?

8/8.

_2015년 11월 12일 22시 28분 현재 만 40세_

전쟁터에서 순수함은 나약함으로 비난받는다. 심지어 약자를 보호하겠다는 명분의 전쟁도 마찬가지다. 일단 전쟁이 벌어지면 마음이 여린, 충분히 독하지 않은 약자부터 전쟁의 폐해를 겪게 된다.

강자가 바뀔 뿐이다. 권력 이동만 존재한다.

1/8.

2014년 03월 07일 10시 51분 현재 만 38세

아무리 많은 양의 흰색 물감을 사용한다고 해도 소량의 검은색 물감과 뭉뚱그리면 회색이 된다.

백의민족으로 상징되던 우리 사회가 오늘날 암울한 회색 일색인 것은 어쩌면 까마귀를 까마귀라고 부르지 않고 백로와 더불어 조류라고 통칭하기 때문은 아닐까?

2/8.

2014년 03월 10일 18시 39분 현재 만 38세

가능만 하다면, 과거 조선시대 독재자 세종대왕이 통치했던 그 시대로 한 번 찾아가고 싶다.

정승들과 장군들, 양반들은 그를 어떻게 평가했을까? 상민들과 천민들, 부녀자들은 과연 한글 창제에 환호하며, 수많은 과학적 업적에 대해 자랑스러워했을까?

3/8.

2012년 12월 20일 17시 55분 현재 만 37세

일정한 수준의 지식과 교양을 갖춘 사람을 우리는 지식인이라고 정의한다. 과거 이순신 장군과 같은 지식인이 현재 우리 사회에 존재한다고 생각하는가?

아님 말고 혹은 삭제하면 그만인 사견을 요란하게 떠들어대는, 소위 지식iN들만 넘쳐날 뿐이다.

4/8.

2014년 05월 24일 02시 10분 현재 만 38세

헛똑똑이가 너무 많다.
논리적 오류로 범벅된 사견을 논거도 없이 떠들어대며 서로가 서로를 전문가로 치켜세운다.

애국자도 너무 많다.
정작 가장 많은 시간을 함께 보내야 할 가족은 내팽개치고, 나라를 구하겠다며 싸돌아다니고 인터넷으로 선동한다.

5/8.

몰라서 하지 않을 때는 당당하다. 그러나 몰라서 할 수 없을 때
는 침묵한다.

알면서도 하지 않을 때는 변명한다. 그러나 알면서도 할 수 없을
때는 불평한다.

떠들어 대는데 모를 때는 답답하다. 모르면서 떠들어 댈 때가 좋
을 때다.

6/8.

국내 주요 일간지의 정치적 논조를 힐난하는 자칭 식자라는 사대
주의자들이 툭하면 모금 운동을 통해 미국의 모 일간지에 우리 정
부를 비난하는 광고를 싣는다.

우리나라를 편협한 민족주의 국가라고 비난해온 미국의 그 일간
지의 논조에 맞장구치는 것과 무엇이 다른가?

7/8.

최근 언론과 네티즌의 의견을 요약하자면, 정부는 국민이 스스로 잘 할 것이라는 안일함에서 벗어나, 국민이 똑바로 하는지 매번 확인·감시해야 하며, 그럼에도 불구하고 국민의 잘못으로 대형 재난·사고가 발생한다면 이는 대통령과 각료가 책임져야 한다고 한다.

8/8.

구태여 들을 필요가 없는 말도, 여론이 들끓으면, 들어야 하는 가치를 갖게 되는 것이 소위 민주주의 제도이다. 상식이나 도덕, 윤리의 역할은, 들을 가치가 없고 말할 필요가 없는 것에 대한 사회적 비용을 줄이는데 있지 않았을까? 빈 수레가 요란하다.

1/8.

2013년 08월 30일 20시 04분 현재 만 38세

더 나은 체제를 염두에 두고, 현재의 체제를 바꾸고 싶다면, 반드시 정당하게 사회적 합의부터 이뤄야 할 것이다.

대의를 위해 소수의 희생은 불가피하다는 전문 시위꾼들의 변명은, 타인과 타인의 가족을 소수로 규정하는 한, 어떤 상황에서도 결코 정당화될 수 없다.

2/8.

2014년 09월 01일 21시 00분 현재 만 38세

나는 '희생되다'라는 표준어에 동의할 수 없다.

만약 희생되었다면, 피해자로서, 당사자나 당사자의 가족은 가해

자나 가해 집단에 합당한 보상을 요구하라.

희생한 자는 대가를 바라지 않는다. 사랑하니까 희생한 것이다. 그 사랑의 힘으로, 인위적으로, 세상이 바뀔 수 있는 것이다.

3/8.

2014년 11월 10일 10시 11분 현재 만 39세

나만 잘 살면 되고 나만 아니면 되는 사회에서, 수단과 방법을 가리는 것만큼 사치스러운 것은 없다.

신의보다 득실이, 양보보다 공평이 우선시 되는 세상이다. 시대의 흐름을 역행하면 자기만 손해를 본다.

뒤집어 생각하니까 비판하기가 어렵다.

4/8.

2014년 10월 10일 01시 16분 현재 만 39세

성숙한 시민 의식과 공명정대한 법질서가 존재하는 사회라면 먹이 사슬과 같은 비인간적인 공생 관계도 사라지게 될 것이다.

사회 경제적 지위는 공동의 선을 추구한 결과를 근거로 부여해야

지, 적자생존과 같은 힘의 논리를 정당화하는 결과물이 되어서는
안 된다.

5/8.

2014년 05월 04일 14시 35분 현재 만 38세

수단과 방법을 가리지 않고 돈을 버는 인간은 사고를 내고, 수단
과 방법을 가리지 않아야 먹고 살 수 있는 인간은, 왜 정부는 수
단과 방법을 가리지 않으며 방지하지 않았느냐며 울부짖는다.

수단과 방법을 가리지 않는 세상에서, 수단과 방법을 가린 그 죄
가 무겁다.

6/8.

2014년 12월 17일 14시 33분 현재 만 39세

선민의식에 찌든 전문 시위꾼들이, 깨어 있는 시민이라며, 자행
하는 여론 재판을 보고 있자니, 나날이 세상을 멀리하게 된다.

동족상잔의 비극에서 비롯된 일종의 생존 방법이라고 감안하면
일편 이해할 수도 있지만, 매번 궤변을 반복할 바에는 차라리 서로
아무 말도 하지 않는 것이 더 낫겠다 싶다.

2014년 04월 22일 18시 01분 현재 만 38세

부관참시라는 말이 있다. 화병이라는 말도 있다.

그런데 과거를 현재에 무한 재생하며 사는 국민들이 많아도 너무 많다.

과거의 잘못은 과거의 잘못일 뿐 미래에 반복하지 않으면 된다.

유통 기한이 있는 값싼 동정과 관심에 주의하라.

비싼 대가를 치른다.

8/8.

2014년 03월 25일 11시 31분 현재 만 38세

세상이 참 마음에 들지 않는다.

당신도 그런가?

우리가 함께 살아야 하는 세상이 당신도 마음에 들지 않는가?

사천만 명의 하나로, 칠십 억 명의 하나로 살고 있는 나머지는 어떨까? 사실상 우리 모두 이 세상이 마음에 들지 않는 것일까?

그러면 차라리 다행이다.

누구든 먼저 무릅쓰면 된다.

사진 ⓒ 김도윤, 2016

제4장
우리의 시대정신은 무엇인가

1/4.

2004년 05월 15일 16시 51분 현재 만 28세

나는 칠이 벗겨진 벤치 위에 앉아, 무릎을 팔로 안고 얼굴로 무릎을 덮어, 따가운 시선으로부터 고개를 돌립니다. 나의 목덜미에 검은 멍이 듭니다. 나의 마음을 차가운 암실 안에, 당신의 눈빛에 인화되지 않도록, 더 숨겨야 하는데 더 깊숙이 감춰야 하는데, 내게 한 마디의 말도 아직 건넨 적이 없는 당신이기에, 당신이 나와 아무런 상관없는 존재라는 세상의 호된 질책을 부정하기 힘들어 괴로운 나는, 힘겹게 마음을 한 올 한 올 뽑아 당신을 싸고 묶어, 마음의 암실 안에 가둡니다. 하루 종일 당신을 나의 짠 눈물에 담가 두어 더 이상 변색되지 않도록, 당신에 대한 나의 마음을 내가 꼭 안아서 확인할 수 있을 만큼 부풀어 오를 때까지, 바라봅니다.

나는 지금 텅 빈 광장에 앉아,
칠이 흉한 벤치 위에

무릎을 팔로 안고
얼굴로 무릎을 덮어,
당신을 저버린 황금빛으로부터 우리의 피난처를,
당신이 머문 외로운 십자가를 지키고 있습니다.

성부와 성자와 성령의 이름으로, 아멘.

2/4.

2004년 06월 07일 05시 51분 현재 만 28세

당신의 가슴에 못질을 하는 내게
당신은 괜찮다며, 아프지 않다고 기도를 합니다.

나는 그 마음이 슬퍼서 내 가슴에 못질을 하고
그 못질 소리에 다시 아파하는 당신을 위해
말없이 미소를 띤 채 십자가에 매달려 기도를 합니다.

성부와 성자와 성령의 이름으로, 아멘.

3/4.

안심하고 당신이 당신의 길을 걸어갈 수 있도록, 다른 모습으로
라도 우리를 기다리지 않도록, 우리는 소리 내지 않고 당신의 곁에

가까이 있을 테니, 우리가 당신을 쳐다보지 않아도, 당신은 우리를 돌아보지 말기를, 우리가 이렇게 한 걸음씩 당신에게 다가가고, 언젠가는 다 함께 나아갈 수 있도록, 당신에게 말하지 않았을 뿐, 우리는 당신에게 다가가고 있으니, 당신은 지금 그대로의 모습으로, 당신의 무거운 손을 우리가 잡을 때, 내밀지 않은 당신의 손이 무안하지 않게, 잡지 않은 우리의 손이 부끄럽지 않도록, 우리의 마음은 초심 그대로이니, 지금 떨고 있는 우리의 두 눈을 당신이 용서해 주기를, 비록 느린 걸음일 지라도, 우리는 당신을 쫓아가, 당신을 놓치지 않을 테니, 당신은 우리의 단 한 사람이 되어, 더 이상 순수하지 않은 우리의 모습에 놀라 영원히 실망하지 않기를, 잠을 이루지 못하는 우리는 오늘 새벽도 어김없이 백팔배의 참회를 하며, 나무아미타불 관세음보살, 당신의 마음을 구하고 있습니다.

4/4.

나는 그 마음이 슬퍼서 참회의 염불을 외고
나의 참회하는 염불을 슬퍼하여 다시 참회를 하는
당신의 그 마음이 아파서
연등에 불을 밝힌 채 말없이 참회를 합니다.

나무아미타불 관세음보살.

제4장 1.
그러나 자식의 길

2004년 05월 08일 02시 15분 현재 만 28세

어머니의 눈가에 주름이 하나 생기고
어머니의 입가에 주름이 더 늘어가고
우리 어머니도 이제 나이가 드셨구나,
아무렇지 않게 생각할 수 없는 아들은
또 다시 투정을 부린 하루가 죄스러워
밤새 뒤척이며 잠들지 못하고 있는데,

어머니께서는 웃음을 잃지 않으시고
어머니께서는 슬픔도 내색 않으시고
섭섭할 법한 철없는 아들의 소리마저
어머니께서는 마음에 두지 않으시고
어머니께서는 여느 때처럼 주무시고,
못난 아들은 남몰래 눈물을 흘리는데

철들 줄 모르는 아들로 세상에 나와,
당신의 극진한 사랑을 당연히 여기며
살아계실 때는 투정만 부릴 줄 알고
곁에 계실 때도 몹쓸 소리만 내뱉는,
자식이라는 천형의 이름을 가진 나는
몸을 던질 인당수라도 있던 심청이가 차라리 부러운데,

아들이 울다 잠든 새벽에
어머니께서는 고단한 눈을 뜨시고
철들 줄 모르는 아들의 어머니로 다시 깨어나셔서,
당신의 극진한 사랑으로
아들을 위한 공양미를 올리시며
오늘도 부처님께 엎드려 기도를 드리는데,

심청이 모양으로 내게 소원이 하나 있다면
나, 당신의 아버지로 태어나
철들 줄 모르는 딸의 아버지로 태어나,
당신과 같은 극진한 사랑으로
당신의 끝없는 투정을 받으며
그 가없는 은혜에 보답하고자 합니다.

1/9.

2015년 07월 14일 14시 19분 현재 만 39세

후배에게 뺨을 맞고, 교수가 인분을 먹여도 받아들이고 살아야 했던 청년이 뉴스에 보도되었다.

수많은 가혹 행위 중에서도 부모님을 욕하는 것이 가장 마음 아팠다고 하더라.

기억해둬라.

윤리와 도덕이 사라지고 권위와 복종만 남은 나라는 이렇게 망해 가는 것이다.

2/9.

2012년 09월 30일 03시 50분 현재 만 37세

대한민국의 시대별 인적 자원의 정의;

- 70년대: 오지랖이 넓은 사람
- 80년대: 근면성실한 사람
- 90년대: 영어를 잘하는 사람
- 00년대: 부모님 직업이 고위직인 사람

그리고 현재:

묻지도 따지지도 않고 그냥 시키는 대로 말 잘 듣는 사람

3/9.

2013년 05월 10일 14시 11분 현재 만 37세

하고 싶은 일보다 잘하는 일을 하고, 잘하는 일보다 해야 하는 일을 하는 한, 제대로 하는 것보다 적당히 하는 것이 사람 냄새나는 우리네 삶이라고 둘러대는 한, 털어서 먼지 안 나는 사람이 어디 있냐고 도리어 큰소리치는 한 우리 미래는 암담하다.

4/9.

2014년 12월 06일 19시 19분 현재 만 39세

우리의 교육 이념은 사회에 필요한 인재 양성에 초점을 맞춰 왔다. 결과는 고무적이었다. 쓸모 있는 인간에 대한 공급은 끊이지 않았고, 대한민국은 그들을 자산으로 삼아 성장했다.

인재보다 자본이 더 큰 수익을 보장하는 세상이 도래했다. 실업률이 높아질 수밖에 없다.

5/9.

2014년 05월 07일 23시 51분 현재 만 38세

행정고시나 외무고시에 합격하면 관련 부처의 고급 공무원으로 임용되고, 사법연수원의 성적에 따라 판·검사가 결정되는, 과거 제도가 오늘날까지 유지되는 것이 놀랍지 않은가?

국회의원들이 이익 집단을 대변하여 당파 싸움을 하는 것에 새삼 놀랄 것도 없다.

6/9.

2014년 12월 18일 12시 44분 현재 만 39세

믿을 놈 하나 없는 세상에서는 의리가 명성을 높이고, 하나같이 썩어 빠진 세상에서는 배신이 명성을 높이며, 불신과 부패가 판치는 세상에서는 위선이 명성을 높인다.

오늘날 대한민국 인재가 갖춰야 할 특기는 의리인가, 배신인가, 아니면 위선인가?

7/9.

2014년 09월 03일 12시 36분 현재 만 39세

교내 왕따 문제는 왜 근절되지 않는가?

두발 자유화가 없던, 옷차림이나 도시락 반찬으로 빈부의 격차가 드러나던, 교과서마저 한 종류 밖에 없던, 학생은 그냥 공부만 해야 했던 나의 학창 시절에도 왕따는 존재하지 않았다.

무릅쓰는 스승보다 타협하는, 무심한 교사가 더 많기 때문이다.

8/9.

2015년 09월 11일 02시 50분 현재 만 40세

우리나라의 입시 제도에는 최근의 세월호 특별 전형과 같이 농어촌 특별 전형 등 사회적 배려 대상자를 위한 기회 균형 선발이 있다. 미국에도 소수 인종 입학 할당제가 있다.

어느 나라든 대학 입시를 통해 자국의 정치·사회 문제를 공평하게 해결하려고 한다.

공정해야 하는 것이 교육 아닌가?

9/9.

바른 교육대로 살았더니 온실 속에서 나약하게 자랐다고 한다.
옳고 그름을 따졌더니 고지식하다고 한다.
수단과 방법을 가렸더니 철이 안 들었다고 한다.

내가 사는 대한민국은 더 이상 내가 자란 대한민국이 아니다.

배운 대로 사는 삶이 특권이 되었다.

1/9.

2014년 11월 30일 21시 43분 현재 만 39세

우리나라에서 희망적인 미래를 위해 꿈을 이루고 행복을 누리려면, 의지를 가져야 하고 그 의지를 잃지 말아야 한다.

"나약한 소리 집어치우고, 하면 된다는 정신으로 수단과 방법을 가리지 말고 쟁취해!"

똥도, 똥 냄새도 피할 수 없으면 즐겨야 한다.

2/9.

2014년 03월 12일 11시 12분 현재 만 38세

각종 협회, 연맹, 조합 등등 군더더기가 되어버린 우리나라의 이해 집단들의 행태는, 스타나 유망주에 기생하여 노예 계약을 강요하고 수익을 착취했던, 과거의 악덕 기획사와 다를 바 없다.

협회, 연맹, 조합 가입에 따른 혜택보다 협회, 연맹, 조합 탈퇴에 대한 보복이 더 크다.

3/9.

2014년 03월 08일 15시 00분 현재 만 38세

북한의 의료 현실에 대한 탈북 의사들의 증언을 듣다보면, 우리 의료 현실에 대한 성토와 비판은 사회 경제적 지위를 유지하려는 불평으로 들린다.

진료가 의료 서비스로 진화하는 사이에 환자도 고객으로 탈바꿈했다. 의료 관광을 경제 발전의 동력으로 삼는다고 해도, 의사마저 본분을 잃으면 안 된다.

4/9.

2014년 05월 02일 19시 05분 현재 만 38세

백 일간 쑥과 마늘만 먹은 웅녀에게, 떡을 내놓지 않으면 잡아먹겠다는 호랑이들만 많다. 미운 애가 운다고 울 때마다 떡을 계속 먹인 결과이다.

마녀들만 사는 나라에서 마녀 사냥을 하면, 포획된 마녀가 과연 마녀일까? 다양성을 존중해야 한다고 말하는 것 자체가 차별이다.

5/9.

2014년 05월 10일 18시 59분 현재 만 38세

근시안적인 정책이 있다면, 난시안적인 정책도, 원시안적인 정책도 존재하는 것이다.

노안의 눈으로 세상을 바라보며, 자수성가한 나의 선견지명이라고 우기니까, 눈이 멀쩡한 애들마저 덩달아 노안으로 바라보기 위해 안경을 쓰고 있다.

6/9.

2015년 09월 14일 13시 38분 현재 만 40세

2017년까지 정상화가 되기를 바라는 비정상적인 사안:

- 시장가격에 비해 터무니없이 비싼 저질 군납품 및 군수품
- 물가와 가계 부채를 악화시키는, 기업의 무절제한 국내외 마케팅 비용 지출
- 오보를 확산시키는 무책임한 언론 및 포털 사이트

7/9.

2014년 04월 24일 14시 46분 현재 만 38세

수능 첫 세대였던 우리 나이 또래를 당시 기성세대들은 X세대라고 불렀다.

물질적인 풍요 속에서 자기중심적인 가치관을 가진, 이해하기 힘든 세대라고 했다.

요즘은 해마다 빈부의 격차를 풍자하는 새로운 세대가 출현한다.

성장의 거품에 가려졌던 우리 사회의 알몸이 드러난다.

8/9.

2014년 02월 17일 12시 15분 현재 만 38세

한국인이 꿈을 이루기 위해서는 일단 대한민국을 떠나야 한다?

학문과 예술에 국한되었던 과거와 달리 근래에는 대중문화 및 스포츠, 식음료, 고부가가치 산업은 물론 직장 경력까지 해외에서 먼저 인정받아야 국내에서 성공할 수 있다.

우리 부모 세대가 쌓아올린 모래성이 무너지고 있다.

9/9.

인천공항 리무진 안에서 웬 미국 시민권자 한국인이 어떻게 그동안 자기 자신과 가족이 조세 제도와 출입국 관리, 금융 거래의 맹점을 활용하여 수억 원의 탈세를 할 수 있었는지 자랑스러운 목소리로 한 시간 내내 지인과 떠들고 있다.

승객들이 두 귀를 쫑긋 세우고 외국인 특강을 경청하고 있다.

제4장 1. (3)
나라에 어른이 없다

1/9.

2014년 04월 21일 23시 58분 현재 만 38세

술·담배를 할 수 있다고 어른이 되는 것은 아니다. 투표를 할 수 있다고, 세금을 납부한다고 어른이 되는 것도 아니다. 자식을 낳아 기른다고 해서 어른이라고 말할 수 없다. 백발노인마저 "하나님 아버지"하고 어른을 찾는다.

나라에 어른이 없다.

2/9.

2014년 09월 15일 22시 27분 현재 만 38세

치워야 할 똥을 더러워서 피한다고 방귀를 뀌더니, 왜 코를 막으며 성을 내는가? 우리 애만 잘되면, 나만 잘살면 그만이라며 여기저기 똥을 싸니 나라 전체가 똥 밭이 된 것 아닌가?

똥 밭에 굴러도 여기가 낫다는 말을 보면, 싸면 안 된다는 것을 알면서도 싸는 것이다.

3/9.

부모의 역할은 자녀를 먹여 살리기 위해 수단과 방법을 가리지 않고 돈을 버는 것도, 목청을 높이며 다른 자녀의 부모와 싸우는 것도, 무조건 사랑하는 것도 아니다. 부모의 역할은 자녀 생애 최초의 그리고 생애 최고의 교과서이자 선생님이 되는 것이다.

4/9.

일본 드라마, 여왕의 교실만큼 냉정하게 현실을 반영한 방송물은 드물다. 착한 사람들만 산다는 오늘날 포퓰리즘 세상에서, 사람 냄새 안 나는 아쿠츠 마야 담임교사와 같은 존재는 언제나 공공의 적이다. 우리 사회에는 악인만 있고, 악역이 없다.

5/9.

공직이란 시민 위에 군림하는 벼슬이 아니라, 시민이 시민답게 시민으로서 시민의 역할을 할 수 있도록, 돌봐주는 서비스 직종이 아닐까?

대한민국의 입법, 사법, 행정의 문제점은 잘못된 인간에게 잘못된 권위를 부여하고 이를 방관하는데 있다.

6/9.
2015년 10월 28일 18시 02분 현재 만 40세

우리나라는 독재자들의 나라다.

가장은 집에서 독재를 하고 상사는 직장에서 독재를 하며, 손님은 어디서나 왕이 된다.
그렇게 약자에게 강하고 강자에게 약한 독재자들이 모여 서로 판사를 하고 국회의원이 되어 사회의 독재자로 군림한다.

우리나라의 민주주의는 자화자찬이다.

7/9.
2013년 03월 06일 00시 59분 현재 만 37세

성인(成人)이 되는 순간 우리는 선택해야 한다.
아무도 없는 곳으로 무쏘의 뿔처럼 홀로 떠나 색즉시공공즉시색을 누리며 성인(聖人)답게 마음의 평화를 누리며 살든가, 돼지를 부처로 여기며 동물 농장에서 반려 동물과 함께 희로애락을 진하게 느끼며 살아야 한다. 어떤 선택이든 행복하면 된다.

8/9.

2014년 11월 19일 18시 56분 현재 만 39세

법칙과 같던 상식이 변덕을 부리는 세상 속에서, 과연 내 자리는 어디일까?

돌이켜 보면, 나는 이십여 년 전 내 자리에 뿌리를 내렸을 뿐, 주변 풍경이 바뀐 것에 불과하더라. 뭘 좀 아는 인간은 잃고 살아도, 아무 것도 할 줄 모르는 사람은 잊지 말자.

9/9.

2014년 12월 03일 22시 43분 현재 만 39세

어린이를 돌보는 일은 쉽지 않다. 차라리 갓난아기를 돌보는 일이 수월하다. 부모의 관심과 사랑을 받는 아이를 가르치는 것은 쉽지 않다. 차라리 외로운 아이를 가르치는 것이 수월하다.

아무 것도 모르는 아기들과 기댈 곳이 없는 아이들을 잊지 말자.

제4장 2.
차선을 위해 최선을 다하다

2004년 08월 19일 13시 47분 현재 만 29세

누군가, 절대적인 자가, 내게 "이번 생애에서 무엇을 원하는가?" 라고 묻는다면, 나는 나의 반쪽을 만나 서로 일생동안 아끼며, 사랑하며 살고 싶다고 말할 것이다.

나의 모든 것을 아무렇지 않게 버릴 수 있는, 함께 있기만 해도 좋은 사람, 나를 있는 그대로 받아들이고 나를 있는 그대로 사랑하는 삶의 진정한 동반자로서, 서로 다른 점을 맞추고 이해하는 것이 아니라 내가 바라보는 곳을 이미 바라보고 있던 사람, 나의 생각을 처음부터 끝까지 그대로 이해하는 사람, 내가 느끼는 대로 똑같이 공감하는 사람, 그리고 그런 나를 소중히 여기는 사람, 나를 웃게 만드는 사람, 그리고 기뻐하는 나의 모습에 덩달아 자신도 기뻐하는 사람, 다른 사람들이 싫어하는 나의 모습마저도 사랑스럽다고 여기는 사람, 미래를 계획하며 현재를 희생하는 것이 아니라, 현재가 행복하기 때문에 미래도 그럴 것이라도 굳게 믿는, 인간으로서의 가치를 아는 사람, 그런 사람 말이다.

내 삶의 희망은 그런 나의 반쪽과 일생을 함께 보내는 것이다. 만약, 그런 삶이 내게 주어지지 않는다면 그 때는 아쉽지만 나는 차선을 택하게 될 것이다.

마음의 평화를 원한다고 말할 수 있을 것이고, 내가 아끼는 가족이나 지인들이 자랑스럽게 여길 수 있는 사람이 되기 위해 온 힘을 다해 노력할지도 모른다. 부모님께서 원하시는 대로, 불교 신자이면서 순수하고 지혜로운 여자를 소개받아, 남들이 보기에도 완벽한 가정의 완벽한 가장으로서, 나름대로 가치 있는 삶이었다고 말할 수 있도록 최선을 다하며 남은 인생을 살 수도 있을 것이다.

어쩌면 아무렇지 않게 홀로 아프리카나 남미, 혹은 동남아시아로 떠나서 평생 봉사활동을 하며 더불어 사는 세상의 가치를 찾으려 할지도 모른다.

그러나 이러한 차선책 중 어느 것을 택하더라도, 그것에 대한 타인들의 평가가 얼마나 높든 상관없이, 나의 남은 인생은 한 인간으로서 허무하고 결과적으로 불행한 삶이라고 믿는다.

지극히 인간적이면서 가장 궁극적인 본성, 즉, 사랑받고 사랑하고 싶은 욕구를, 나는 아리스토텔레스의 주장처럼 자아실현이나 존경의 욕구로 대체하려 하겠지만, 차선책 중 가장 최선인 것도 결국은 차선일 뿐이다.

가족을 구성하고, 사회를 구성하며, 국가를 구성하는 사회적 동물로서의 인간이기에, 함께 어울려 사는 것이 참된 인생이라고 말할 수도 있다. 다들 그렇게 산다고 한다. 부정하지 않는다. 단지 내게 있어서 최선의 선택이 아닐 뿐이다.

아담과 이브는 사과를 먹음으로써 감정을 가진 인간이 되었다고 한다. 그러나 그들이 진정 서로 사랑했다면, 과연 무화과 잎으로 가려야 할 만큼, 각자의 알몸을, 똑같은 반쪽이 아니었음을, 결국 서로 다른 사람이었음을 부끄럽게 여겼을까?

나는 사과가 없던 에덴동산의 인간이고 싶다. 나는 사과가 없는 에덴동산에서, 한 인간으로 세상을 떠나고 싶다.

1/9.

2014년 10월 27일 07시 52분 현재 만 39세

인간의 보호색은 다양하다.

미모나 몸매를 부각시키거나, 값비싼 자산을 활용하거나, 상스러운 언행 및 고성을 일삼거나 혹은 교양 있는 척 허세를 부리거나 심지어 익명의 투사 또는 군중으로 변신하기도 한다.

사람에게 주어진 최고의 보호색은 투명함이다.

2/9.

2015년 11월 06일 01시 43분 현재 만 40세

'홧김에'라는 표현은 '음주로 인한 심신미약'과 함께 우리 사회에서 사라져야 한다.

누구나 실수를 저지를 수 있다. 변명하지 말라. 잘못된 판단에 대한 정당한 대가를 깎으려고 하지 말라.

왜 단 한 번뿐인 자신의 삶을 가짜로 만들며 흥정하려 하는가!

3/9.

2014년 07월 23일 15시 45분 현재 만 38세

가치관과 시민의식이 서로 다른 개념이라고 생각하는가?

사회 체제를 바꾸기 위해서는 상당한 시간과 직간접적인 자원이 소모되지만, 나를 변화시키는 데는 내 마음만 필요할 뿐이다.

상자 안이 좁다고, 어둡다고 불평하지 말자.
상자는 존재하지 않는다.

4/9.

2013년 10월 23일 19시 19분 현재 만 38세

공정성과 공평성은 다르다.

공정하더라도 공평하지 않을 수 있고 공평하더라도 공정하지 않을 수 있다. 이러한 구조적 문제점을 개선하는 것이 민주주의와 법

치주의, 그리고 자본주의가 나가야 할 방향이다.

사조직이 아니라면 공평성보다는 공정성이 우선이다.

5/9.

사회 경제적 지위 자체를 부정하는 것이 공산주의이고, 사회 경제적 지위에 따른 자유를 제한하는 것이 사회주의이며, 사회 경제적 지위를 제도화하는 것이 자본주의가 아닌가?

민주주의란 공산주의, 사회주의, 자본주의 중 원하는 바를 취사선택하는 것에 불과하다.

6/9.

고졸을 채용하지 않는 것이 학력 차별인가, 고졸을 채용해야 하는 것이 학력 차별인가?

해고하는 것이 부당한가, 해고할 수 없는 것이 부당한가?

어떤 체재든, 정상적인 체재라면 'Garbage In, Garbage Out' 함수를 충족해야 한다.

7/9.

자살을 선택한 세 모녀에게 필요했던 것은 어쩌면 "정부나 기관으로부터 지원받을 수 있다."는 지식이 아니었을까?

필요한 이에게 필요한 자원이 지원되어야 한다.

복지 정책과 실행만큼은 공평성을 따지지 말고 조금 더 필요한 이에게 알리고 양보하면 어떨까?

8/9.

흔히 기회[Opportunity]는 준비된 자에게 주어진다고 말한다. 부정하고 싶지 않다. 단지 기회[Chance]만큼은 필요한 자에게 주어져야 한다고 생각한다. 목표를 위한 기회[Opportunity]와 꿈을 위한 기회[Chance]의 기준은 달라야 한다.

9/9.

나는, 다른 칠십억 명의 동시대 인간들과 다를 바 없이, 인류를 구원하는데 실패했다고 내 인생을 자책하지 않을 것이다.

내가 어떤 선택을 하고 어떻게 살았는지는 이미 하늘이 알고 땅이 알고 내가 안다.

내 삶의 선택에 대해 굳이 신에게 판단을 맡길 필요가 없다.

제4장 2. (2)
뿌린 대로 거두는 세상

1/9.

2015년 10월 27일 02시 16분 현재 만 40세

교도소는 개인의 자유를 합법적으로 제한한 곳이다.

창살과 문이 없는 변기로 구성된 공간은 개인의 사생활이 허용되지 않음을 상징적으로 보여준다.

사생활이라는 단어를 주홍색으로 표기하는 오늘날의 열린 세상에서, 교도소 밖의 우리는 진정 자유로운가?

2/9.

2013년 10월 28일 18시 03분 현재 만 38세

야근을 하거나 주말근무를 할 때가 있다. 그리고 특근은 반복되기 마련이다.

자신의 꿈을 이루기 위해 지금 특근을 하고 있는지, 아니면 불확실한 미래가치를 위해, 타인의 꿈을 이루어 주는 일에 현재를 소비하고 있는 것은 아닌지, 매번 자문할 필요가 있다.

3/9.

2014년 03월 02일 13시 05분 현재 만 38세

편리한 삶과 맞바꾼 은하수는, 어쩌면 콘크리트 건물에서 생활하고 지하철로 통근하며 철골구조의 건물에서 근무하는, 납세자들이 지불하는 기회비용인지도 모른다.

빛 공해로 밤하늘조차 제대로 볼 수 없는데, 천문학과 우주 항공학이 발전할 리가 없다.

4/9.

2014년 02월 21일 13시 00분 현재 만 38세

잘못된 의도로 잘못된 언행을 해도 아무 걱정할 필요 없는 신세계가 펼쳐졌다.
법은 관대할 것이며, 대중 역시 옹호할 것이고 (외모가 뛰어나다면) 오히려 인생역전의 기회가 주어질 것이다.

먹고 살며 자위하기 바쁜 세상에 누가 옳고 그름을 따지겠는가!

5/9.

상업 매체를 통해 대중들에게 인지되고 또 폭넓은 인기를 얻는 방송인들은 상대적으로 짧은 기간 동안 대중에 비해 더 많은 물질적 성공의 기회를 얻게 된다.

막 말하며 막 가면서 막 사는 방송인들의 대중 매체 출연을 제한할 필요가 있지 않을까?

6/9.

정당한 의견은 정당화할 필요가 없으며 합리적인 의견은 합리화할 필요가 없다. 반성 없이 변화가 일어날 수 없는 것처럼, 뿌린 대로 거두기를 거부하면, 발전도, 개선도 없다.
대중이 꾸는 망상으로, 정치 지망생의 꿈이 현실화된다. 동상이몽이다.

7/9.

언제부터 우리는 스포츠 경기 결과가 정치적으로 혹은 경제적인 목적으로 왜곡되어도 개의치 않게 되었는가?

내 기억 속에서 아직도 생생한 여러 덕목과 윤리, 정신적 가치가 이제는 교과서 속에서만 존재하는 박제품이 되었다.

집단 최면에 빠진 것 같다.

8/9.

2015년 11월 07일 02시 17분 현재 만 40세

해외 언론을 통해, 서울의 강남구는 대한민국 최고의 부촌·교육 일 번지, 쇼핑·상업 중심지이며 유흥·성매매업소 밀집지역이라고 종종 소개된다.

어쩌면 강남구는, 한류와 경제 발전만 외치며 시대정신을 중시하지 않은, 우리나라의 일그러진 위상을 상징하는 것인지도 모른다.

9/9.

2014년 10월 28일 10시 50분 현재 만 39세

호랑이는 죽어서 가죽을 남기고 사람은 죽어서 이름을 남긴다는 말이 있다.

내 생각은 다르다. 인간은 죽어서 선례를 남기고 성인(聖人)은 죽어서 진리를 남기는 것이 아닐까?

사랑하는 이에게 줄 수 있는 가장 큰 유산은 자신의 깨달음을 나눠주는 것이다.

제4장 2. (3)
사랑 타령을 할 수밖에 없다

1/9.

2014년 06월 30일 11시 27분 현재 만 38세

삼십 년 전에 읽었던 나의 라임 오렌지 나무를 영화로 보았다. 나의 제제와 나의 밍기뉴 그리고 나의 포르투가 아저씨와 함께, 어느새 나는 여덟 살 꼬마가 된다.

나도 모르게 눈물이 난 이유는 지나간 나의 추억 역시 나만의 기억 속에서만 존재하기 때문인지도 모른다.

2/9.

2014년 02월 18일 20시 15분 현재 만 38세

너무 보고 싶어서, 함께 있으면 세상을 다 가진 것처럼 기쁘기에, 그 사람이 아니면 안 되니까 그래서 내 자신의 행복을 위해 결혼하는 것이다.

학교를 다니고 취업을 하는 것처럼, 의례히 나이가 들면 해야 하는 성인식처럼 신성한 결혼을 모독하지 말라!

3/9.

2014년 05월 08일 23시 35분 현재 만 38세

마음의 빚을 지고 마음에 짐이 되는, 참고 희생하는 우리네 가족 사랑도 참 애틋하지만, 잔소리와 걱정이 아닌 칭찬과 격려로 가득한 교과서적인 애정도 우리네 가족 사랑으로 뿌리내렸으면 좋겠다.

무조건 사랑하는 것이 아니라 후회 없이 사랑하는 것이다.

4/9.

2014년 04월 07일 19시 33분 현재 만 38세

국가가 무너지는 이유는 사회가 무너졌기 때문이고, 사회가 무너지는 이유는 가정이 무너졌기 때문이다.
사랑이 아닌 합의를 근간으로 가정이 유지되는 한, 망국병은 치유될 수 없다.

국가를 바로 세우고 싶다면, 양가 자본의 투자와 정부의 복지 혜택으로 노동 인구 생산 공장이 된 가정부터 바로 잡아야 한다.

5/9.

누구보다 자신을 가장 사랑하는 이가 정치인이나 방송인 등 소위 공인을 꿈꾸는 법이다.

그렇게 대중의 환호와 박수 소리에 주책도 없이 눈물을 흘리며 불특정 다수의 강렬한 관심에 길들여지고 중독된다.

금단 현상이 시작되면 무슨 말이든, 무슨 짓이든 못하겠는가?

6/9.

절이 싫으면 중이 떠난다는 말처럼, 흔히 한 사람 때문에 규칙이나 제도를 바꿀 수 없다고 말한다. 아이러니하게도, 노예 제도를 폐지한 에이브라함 링컨처럼, 세상을 바꾸기 위해서 필요한 사람 역시, 단 한 사람이다.

변화는 한 사람으로부터 시작된다.

7/9.

나는 타인의 시선으로 나와 세상을 바라보는 대신 나만의 눈으로 나와 세상을 바라본다고 자부해왔다. 그러나 부모님의 극진한 사랑과 희생이 없었다면 과연 매 순간마다 나를 세상의 기준에 맞춰 재단하지 않을 수 있었을까?

세상에 무엇이 더 필요한가? 다 갖고 태어난 것과 다를 바 없다.

8/9.

2014년 10월 25일 21시 13분 현재 만 39세

세상의 모든 엄마가 특별한 것은 아니다. 그러나 엄마의 사랑은 특별하다.

엄마를 위해 자신을 바꾸지 말라. 효도를 하겠다고 애쓰지 말라. 네가 숨을 쉬니까, 엄마도 숨을 쉬는 것이다.

살아만 있어라. 엄마가 자식에게 원하는 것은 그것이 전부다.

9/9.

2013년 05월 28일 03시 49분 현재 만 37세

Das Ewigweibliche
Zieht uns hinan

The eternal feminine

Draws us upward

Goethe 351 Faust

품 안의 아기처럼 타인을 사랑할 때,
우리는 비로소 구원받을 수 있다.

나의 해석은 그렇다.

사진 ⓒ 김도윤, 2016

후서
나는 걷고 있다

2005년 03월 19일 00시 56분 현재 만 29세

나는 걷는다.

폴라로이드 카메라를 백팩에 넣고 걷고, 진하게 추출한 아이스
카페라테를 들고 걷는다. 가끔 따뜻한 아메리카노를 마시면서 걸을
때도 있는데, 반자동 에스프레소 머신을 청소하기 귀찮거나 집에
커피 원두가 다 떨어진 날에는 지갑과 휴대폰만 챙겨 갖고 걷는다.

나는 걸었던 길을 다시 걷고, 지나쳤던 곳을 되돌아 걸어간다.
담배를 피우면서 걷다가, 피우다 만 담배를 구두로 밟아 끈 뒤, 꽁
초를 집어 들어 휴지통을 찾아 두리번거리며 걷는다.
아주 드물게, 매서운 바람에 손이 시릴 때면, 외투 주머니에 손
을 넣고 걷는다. 나는 걷는다.

늘 걷는 길이지만, 나는 항상 같은 생각을 하며 걷는다. 함께 걷는 둘째 동생과 나는 늘 말이 없다. 그래도 우리는 걷는다. 내가 빠르게 걸을 때도 있고, 둘째 동생이 천천히 걸을 때도 있는데, 둘이 나란히 걷다가도, 걷다보면 둘 중의 한 명이 뒤처지게 된다.

같이 걷는다고 하지만, 각자 아무런 말이 없다. 그래도 무작정 걷는다. 둘째 동생이 아프고 나서, 이렇게 매일 함께 걸어본 적이 없다. 아니, 둘째 동생이 아프기 전에도 이렇게 매일 같이 걸어본 적이 없었다.

무작정 고집을 부려, 방 안에서만 지내는 둘째 동생을 내가 몇 년 간 머무르고 있는 중국으로 데리고 왔다.

나는 부모님께서 그러시는 것처럼, 돌아가신 할머니 당신께서 두 눈을 감으시던 그 날까지 걱정하셨던 것처럼, 오늘도 둘째 동생에게 잔소리를 늘어놓는다. 씻기면서 잔소리를 늘어놓고, 옷을 갈아입히며 잔소리를 늘어놓는다. 그리고 어머니께서 늘 하시 듯, 나는 둘째 동생이 잠을 깨기 전에 일어나고, 둘째 동생이 코를 골아야 편안히 잠을 잔다.

그렇게 나도 형이 된다.

고등학교 시절 불량한 학우들에게 지독한 괴롭힘을 당한 이후로 둘째 동생은 십여 년이 넘도록 조현병에 억눌려 있다. 고생은 부모님께서 하신다. 날이 갈수록, 해가 지날수록 대다수의 사람들이 누리는 평범한 일상조차 점점 불가능해지는 둘째 동생을 바라보면서도, 부모님께서는 그래도 많이 좋아지지 않았냐고 내게 물으신다. 바라보는 사람의 눈이 원래 더 슬픈 법이니까, 어쩌면 둘째 동생은 특별한 마음고생 없이 지내는 지도 모른다.

나는 그렇게 희망한다.

오늘도 둘째 동생과 나는 아무런 말이 없다. 그래도 일단 함께 걷는다. 나는 둘째 동생을 돌아보며 걷는다. 늘 걷는 길이지만, 내가 앞서 걸을 때도 있고, 둘째 동생이 앞서 걸을 때도 있다.

걷다보면 둘 중의 한 명이 느리게 걷는다. 내가 앞서 걸을 때, 둘째 동생이 나의 뒷모습을 바라보며 걷는지 알 수 없지만, 둘째 동생이 앞서 걸을 때면, 나는, 앞서 걷는 둘째 동생의 뒷모습을 바라보며 걷는다. 우리는 언제나 말없이 걷는다.

항상 걷는 익숙한 길이기에, 나는 늘 다른 생각을 하며 걷는다. 나는 걷는다.

설탕을 듬뿍 넣은 카페 마키아토를 마시면서 걸을 때도 있고, 반자동 에스프레소 머신을 청소하기 귀찮거나 집에 우유나 생수가 다 떨어진 날에는 폴라로이드 카메라만 챙겨 갖고 걷는다. 담배와 라이터를 주머니에 넣고 걷고, 적당히 우려낸 따뜻한 블랙티를 마시며 걷는다. 이미 아는 길을 그렇게 또 다시 걷는다.

대책 없이 커져버린 외교 분쟁을 생각하며 걷는다. 무분별한 정치인과 무책임한 시민단체 대표를 비난하며 걷기도 한다. 하루살이가 빠듯한 친구의 푸념을 되새기며 걷고, 몇 달 전에 수천억 원의 주식을 양도받은 '무늬만' 동창생인 대학교 학부 시절 교우를 떠올리며 걸을 때도 있다. 친한 후배들이 오빠 같은 사람이 아직 왜 사귀는 사람이 없냐고 물을 때마다, 나는 습관처럼, 오빠가 서른두 살이 되면, 현명하고 착한 사람이 하늘에서 떨어진다고 대꾸한다.

나는 걷는다. 홀로 걸었던 길도 둘째 동생과 함께 걸을 때면, 매번 지나쳤던 곳마저 구태여 되돌아 지나가게 된다. 나는 매번 이번이 둘째 동생과 함께 걷는 마지막일 수도 있다는 생각을 한다.

우리는 제각각 담배를 피우면서 걷고, 피우다 만 담배를 구두로 밟아 끈 뒤, 꽁초를 집어 들어 휴지통을 찾아 두리번거리며 걷는다. 아주 드물게, 풀린 신발 끈을 다시 묶고 걷는다.

그새 둘째 동생이 성큼 앞서 걷는다. 나는, 앞서 걷는 둘째 동생의 뒷모습을 바라보며 걷는다. 함께 걷는 둘째 동생과 나는 서로 말이 없다.

우리가 함께 걷는 길은 홀로 늘 걸어왔던 길이지만, 번번이 다른 길이며, 언제나 새로운 길이다.

어쩌면 우리가 함께 나눌 수 있는 유일한 길이며, 삶의 목적지를 향해 끝없이 동행하는 길인지도 모른다.

둘째 동생이 걷다말고 나를 돌아보며 웃는다.

그래서 나도 웃는다.

나는 늘 같은 길을 걸으며, 항상 다른 생각을 하고, 나는 항상 다른 길을 걸으며, 늘 같은 생각을 한다.

그렇게 나는 걷고 있다.

사진 ⓒ 김도윤, 2016

**Cheer Up
For Any Given Good-Bye!**

The 07ʰ Oct. 2004, 03:10, Aged 29

Clearly, since I habitually have begun to look into myself, not wondering how I might outerly be seen, but judging myself in every second by my own judgement, I have tried as best, if I dare say, or hardest as I could, to be myself or the true "me" who fully satisfies myself, no matter what or who comes for me, and still no matter what people say behind my back or even boldly in my presence.

Ego rules.

Now, strangely enough, without any emotional or ethical hesitation, we believe we are able to choose what

"To-be cared or Not-to-be cared", what "To-be loved or Not-to-be loved", or what "To-be cherished or Not-to-be cherished" for our own good.

Furthermore, we believe we should choose selfishly any of whom "To-be with or Not-to-be with", whom "To-be left or Not-to-be left", whom "To-be honest or Not-to-be honest", whom "To-be patient or Not-to-be patient", and even whom "To-be happy or Not-to-be happy" as long as whatever it serves us right enough to make us feel right.

I refuse to accept those beliefs in the above choices.

It is almost inappropriate to quote the legendary lyric from Hamlet, "To be or Not to be" as a keyword for self-examination, as we already know it is a question of life and death. Actually, we have been unanimously taught without doubt William Shakespeare's intentional, thus artificial tragedy is the beautiful art work so that there is nothing to argue about from the very first line, before we wonder whether or not the matter of life and death is the one and only ultimate or extreme decision of the selfless human nature and even, if necessary, for

Hamlet to make to choose what serves him right enough to make him feel right for his own good.

Then, who must die to make a decision of the selfless human nature?

Ego must die.

So long as we wish still to madly keep what we have sillily enough taken for granted to keep us alive, the true "us" or selfless human nature, Ego must die. No choice serves us right enough to make us feel right for our own good, once Ego take sides.

It even sounds unfairly enough, regardless it is the absolute truth or not, it is not going to serve us right enough to make us feel right for our own good any longer no matter how much desperately we wish, if all we want is just to win our Ego with another meaningless self-satisfactory victory by choice.

Selfless human nature is not about "right or wrong" or "good or bad" after all.

So is the matter of life and death.

Now, we can truly cheer ourselves up for any given good-bye of our choices.

Chapter 1.
Who Is The Lucky One?

The 08ᵗʰ Oct, 2004, 06:52, Aged 29

Under the spotless yet autumn skies, I felt like walking around to sightseeing spots.

Seeing busily moving people passing by, I rather let myself not be passed by, not knowing when to be stopped by whatever, wondering when to stop for whatever.

Out of the 22ⁿᵈ & the 2ⁿᵈ, with one repeated song plugged into my ears, I decided to stop to smoke when I would be stopped by the traffic light.

When I walked on the alley till the sign of the 57ᵗʰ & the 5ᵗʰ, finally, I chose Guggenheim for some artic filthy shows, not knowing it is out of show on every Thursday, wandering around every third block away.

At the 88th & the 5th, along with the Central Park on corner, I took a cab, out of nowhere, I asked the chauffeur to take me to the 57th & the Park on corner.

Not knowing where I was going, wondering why I said so but still going anyway, I closed my eyes for the moment, being ready to open in any moment. I wish I was going to the place I hoped to be, all of my surprise, the chauffeur left me at a fancy patisserie.

Seeing couples in love, I remembered I was a better person before my beloved. I'd better be the person I remembered.

When I handed in one hundred dollar for boxes of chocolates, I was asked how many cards I would need to fill in out of hundreds of the same cards. When I said I needed only one, I was asked, "Who is the lucky one?"

Just one fine day it was today, and I had walked for a

change just like the other days.

Listening to one of Sting's that stings, I closed my eyes for the moment, being ready to open in any moment. I wish I was at the same place I hoped to be where my beloved used to be with me.

When I said I needed only one, I was asked, "Who is the lucky one?"

When I had my only one, I was the lucky one.

Chapter 1. (1)
Love Makes Life Sense

1/11.

The 20th Aug, 2014, 11:47, Aged 39

People seldom change themselves for the others.

It'll be quite a change for us to get now to change for a change.

Find the reason in love.

2/11.

The 16th Feb, 2014, 16:29, Aged 38

Two types of heartbreaks exist; one you suffer for lack of love and the other for whom you love.

Only the latter makes you a better person.

3/11.

The 28th Oct, 2014, 08:51, Aged 39

No matter how wrongfully 7 billion people mess up your world, as long as you are with your love, you won't mind experience this life, again.

4/11.

The 25th Nov, 2014, 12:56, Aged 39

No matter what, just don't be that manipulative self-righteous judgemental preacher.

Life is not about right or wrong, neither good or bad.

5/11.

The 15th Oct, 2014, 02:46, Aged 39

It is quite tough to make 50K simoleons in The Sims unless you skip the fun part by using a cheat code.

Life is no different from the game.

6/11.

The 17th Nov, 2014, 21:22, Aged 39

Living a life as an art;

1. Find out who you really are.
2. Let yourself be what you are.
3. Do as you are.
4. Abide by the consequence.

7/11.

The 17th Nov, 2014, 21:59, Aged 39

Sharing a life as an art;

1. Be honest.
2. Be conscientious.
3. Be responsible.
4. Be free from the same mistake.
5. Be there and care.

8/11.

The 29th May, 2014, 16:08, Aged 38

Don't forget to remember you're in this life as a traveller. Don't spend too much time for today to save for tomorrow's.

Live a full life.

09/11.

The 17th Sep, 2015, 17:16, Aged 40

We believe we are just passing through hard time.
What if we actually were at our own final destinations already for the rest of our lives?

10/11.

The 09th Aug, 2015, 15:07, Aged 40

To know yourself:

1. Respect the difference.
2. Look after the weak.

3. Be honest.

4. Never repeat the same mistakes.

5. Love and sacrifice.

11/11.

The 12th Nov, 2014, 19:14, Aged 39

"The usefulness of a pot comes from its emptiness."

Laozi also said, "When goodness is lost, it is replaced by morality."

So is the liberty.

Chapter 1. (2)
Won't Deny Nor Confirm

1/11.

The 07ʰ Aug, 2014, 05:55, Aged 39

Truth is like salt; it keeps our life from going bad.

Lying is distasteful; that is why lies are combined with a few truths.

Bon appétit !

2/11.

The 19ʰ Apr, 2014, 19:19, Aged 38

"Even a broken clock has a chance to be right twice a day," there is a saying.

Don't take everything you see for now as the ultimate

truth.

3/11.

Surprisingly enough you don't have to be honest to gain trust; trust actually begins to be built on the consistent outcome that you expect.

4/11.

The 27th Apr, 2014, 02:07, Aged 38

It takes good nerve to speak against the whole nation, especially when you already know none of whom you know dare to speak up ever for you.

5/11.

The 02nd Sep, 2015, 02:07, Aged 40

I've been donating thousands of U.S. dollars for years to UNICEF. But I am against emotional campaigns of African kids starving invariably.

6/11.

The 19ᵗʰ Dec. 2014, 18:19, Aged 39

Almost every commercial says, "Make a smart choice for you!"

So, whose choices are more smarter; ours to make for us, or theirs to make us?

7/11.

The 07ᵗʰ May, 2014, 12:09, Aged 38

For better health, I feel like I would stop watching news rather than smoking cigarettes and/or sipping wine, especially in a world like this.

8/11.

The 26ᵗʰ Oct, 2015, 03:15, Aged 40

Liberty or Freedom is a synonym for privacy. Privacy forms the basis of democracy, which secures free speech.

Is your privacy still intact?

9/11.

The 14th Oct, 2014, 06:12, Aged 39

The ignorant blame a political system or a religion for a human right abuse.

But you're your own man especially when you say you're unique.

10/11.

The 11th Apr, 2014, 12:26, Aged 38

What South Korea keeps astonishing me is a criminal court judge never hesitates to give a generous second chance to a child abuser/molester.

11/11.

The 14th Oct, 2014, 05:52, Aged 39

Parents who must blindly look out for kids who will always be kids must behave themselves whom kids blindly look up to. Play the role hard.

Chapter 1. (3)
Both But Neither

1/11.

The 07th Dec, 2014, 13:29, Aged 39

Beauty lies in the eye of the beholder; I can live with that.

What if justice or ethic, even truth lied in the eye of the beholder as well?

2/11.

The 17th Dec, 2014, 15:00, Aged 39

Righteousness is not about forcing "the sinner" to repent.

Justice is not about forcing "the guilty" to kneel in

public nor to cry, either.

3/11.

The 10ᵗʰ Dec, 2014, 13:04, Aged 39

Freedom might be restricted to secure human dignity.
I can live with that.

Human dignity will be violated to "save lives".
Count me dead.

4/11.

The 09ᵗʰ Dec, 2014, 16:03, Aged 39

We say there are big differences among farming,
hunting and poaching.
Would those farmed, hunted or poached say the same
way? I would not.

5/11.

The 18ᵗʰ Aug, 2014, 16:04, Aged 39

In science fictions where human clones appear, every

insensitive human being despises the clone for not having a soul.

Be ironic; Be human.

6/11.

The 09th Feb, 2014, 23:39, Aged 38

My life stops being fun since I've stopped sucking at it. I stop sucking at life since I've stopped making mistakes.

Mistakes "complete" life.

7/11.

The 07th Jul, 2014, 15:05, Aged 38

Whenever I wake up late while staying in a hotel, I recall "The early bird catches the worm" especially when the breakfast has been prepaid.

8/11.

The 06th Nov, 2014, 10:23, Aged 39

"There is no such thing as a free lunch."

"If there is anything that you want, you need to fight for it."

We're no different from carnivores.

9/11.

The 25th Aug, 2015, 03:21, Aged 40

Leadership in politics is all about matching the common mutual needs among the elected and the voters.

Don't be fooled by the term, "lead".

10/11.

The 05th Sep, 2015, 03:04, Aged 40

Can you tell the difference between goodwill and civil rights?

Beware lest favor repeated should be natural human rights taken for granted.

11/11.

The 27th Sep, 2015, 11:46, Aged 40

Suppose there is God.

Suppose He comes along to save Lamb of God.

Would God lead His Lamb into temptation to be unanimously appointed God?

Chapter 2.
More It Matters

The 07th Sep, 2005, 15:28, Aged 30

All alone I stand still so straight ever,

Holding my cold breath in shimmer,

While dazzling white bubbles cover

The whole tidal flat like forever.

A blind boy finds me again to water.

I wish I might cast my shadow of others,

For him I could be a tree in colors,

Though it makes me sink as always into despair.

All of a sudden, frightened than ever,

Among all creatures created eager

I was born to be a dead tree or whatever.

Since the first sun rises till the last sets
I've got no leaf left for him ever.
And I believe he better not come over.
While scary dark bubbles cover
The whole tidal flat like forever,
The blind boy finds me again to water.

I wish I might get rid of my shadow of others
For him I could show him the moon even without
colors.

Though it makes me sink as always into despair,

Among all creatures created eager
I was born to be just a dead tree and it did matter.

I hope what he doesn't hope.
I hope what he won't hope.
But I hope to hope what he hopes me to hope.

All alone I stand still so straight ever,

Holding my cold breath in shimmer.

And I believe he better not come over.

Chapter 2. (1)
Trick Or Treat

1/12.

The 22nd Feb, 2014. 14:17, Aged 38

Since when people have faith in that the end justifies the means?

Can they even tell right from wrong? You know it's not about left, right?

2/12.

The 21st Nov, 2014, 14:52, Aged 39

When the system fails, even an exceptional person ends up incapable, although it doesn't have to be an excuse for "Garbage In, Garbage Out".

3/12.

The 24ᵗʰ Feb, 2014. 15:46, Aged 38

A petition signed by more than 1.8 millions people isn't enough to investigate what 9 judges and 1 controller had done.

This is the system.

4/12.

The 31ˢᵗ Aug, 2014. 23:06, Aged 39

I get that I live in the world where egoism is the new democracy and ignorance is the new intellect.

Is it time I should surrender or else?

5/12.

The 17ᵗʰ Mar, 2014. 12:22, Aged 38

96% of Crimean voters want to become part of Russia. Does this count or not?

Are we witnessing the power of democracy, or the limit of it?

6/12.

Recent migrant crisis in EU will result in propagation of Islam in the name of humanitarian protection.
Ready for Middle Eastern Europeans?

7/12.

The 16th Dec, 2014, 05:50, Aged 39

Where democracy is new religion, capitalism is new bible.

No matter for whom you believe in you vote, you are on your own for bread & wine.

8/12.

The 11th Aug, 2014, 14:55, Aged 39

People used to worship exceptional spiritual leaders

around the world.

Today they worship exceptionally rich families all around the world.

9/12.

The 19th Dec, 2014, 17:35, Aged 39

Isn't it quite ironic that whatever you've done to make a living always ends up making the rich more richer than making yourself less poorer?

10/12.

The 23rd May, 2014, 12:33, Aged 38

What Thomas Piketty has accomplished is quite simple actually; he proves up the system assures the rich get richer and the poor get poorer.

11/12.

The 24th Dec, 2014, 00:59, Aged 39

Piketty's "Capital in the Twenty-First Century (2013)" is

the new George's "Progress and Poverty (1879)" after all?

History repeats itself.

12/12.

The 27th Sep, 2014, 05:38, Aged 39

Stock exchange is indeed far from Ponzi scheme so long as we live "in a textbook world" where people are not selfish nor greedy but sincere.

Chapter 2. (2)
From Where I see

1/12.

The 17th Sep, 2015, 16:45, Aged 40

Kids keep asking, "Are we there yet?" Parents keep answering, "Almost there!"

What you aren't aware of is you're already at the destination.

2/12.

The 03rd Nov, 2015, 07:19, Aged 40

I'm not religious but from where I see adults aren't grown-ups but kids who never grow up but age, which makes God be the one & only Father.

3/12.

The 16th Oct. 2015, 23:26. Aged 40

Every TV show "mirrors" its society. So does any movie.

Just don't forget to remember what you watch is a reflection, not what it truly is.

4/12.

The 01st Aug, 2014, 03:53, Aged 39

Gaza means "Let's go!" in Korean.

How ironic it is, when people of Gaza need us all, we are unable to go there but to watch them suffering!

5/12.

The 25th Mar. 2014, 20:10. Aged 38

If I were a passenger of MH370, I wouldn't want "plausible" closure without any proof found. It's even more inhumane than being given up.

6/12.

The 03rd Sep, 2014, 19:29, Aged 39

Ferries sunk, planes crashed, terrorist groups arose, deadly virus spread, and wars broke out everywhere.

Just another day? So say we all.

7/12.

The 02nd Oct, 2014, 05:01, Aged 39

Is Hong Kong's "Umbrella Revolution" all about the Universal Suffrage, never granted by the British either?

Recipe doesn't bake good bread.

8/12.

The 03rd Sep, 2014, 02:47, Aged 39

The Third World War is quite different from the last Great War.

It's not about system, nor ideology.

It is all about the human resources.

9/12.

The 05th Sep, 2014, 07:15, Aged 39

No war breaks out without profit gains.
Some play "Good Cops", while others do "Evil Villains".

Well, the rest "pay the bill" for the show.

10/12.

The 20th Aug, 2015, 16:47, Aged 40

North Korea has provoked South Korea. How come?

Who earns any economic gain is behind all this.
Thank God! We live in the material world.

11/12.

The 01st Oct, 2014, 17:16, Aged 39

How to colonize?

1. Enslave: FDI & Stock Exchange

2. Discipline: Foreign Exchange

3. Intimidate: Credit Rating

4. Lift-Border: FTA

Govern!

12/12.

The 01ˢᵗ Oct, 2014, 17:39, Aged 39

How to enslave?

1. Pimp: Democracy

2. Cage: Food & Military Aid

3. Surveil: Universal Suffrage

4. Loan: Capitalism

5. Spoil: Welfare

Done!

Chapter 2. (3)
Between Wars

1/12.

The 11th Mar, 2014, 15:16, Aged 38

It's quite simple to figure out the difference between U.S. policies and the other nations'.

U.S. Government "creates" invisible "threats".

2/12.

The 07th Aug, 2014, 01:16, Aged 39

News agencies fear the Ebola outbreak on a global scale, which "was" known to be incurable.

Ta Da!

ZMapp comes along "in a timely manner".

3/12.

The 30th Sep, 2014, 04:35, Aged 39

Human rights abuses under dictatorships are criticized for by elites.

What about other cases under the USA PATRIOT Act since 2001, or "1984"?

4/12.

The 30th Sep, 2014, 04:55, Aged 39

Why Team America has been meddling in world affairs?

Now, we know who has turned the world into a big prison today just to be a dirty guard.

5/12.

The 26th Aug, 2015, 19:24, Aged 40

Q: How to control a gun and censor social media in the U.S.?

A: Find an angry African American and turn on a camera to feed it live on air.

6/12.

Q: What is the next after "Police Killings of Unarmed Black Men" on "The U.S. Legitimate Enforcement for Dummy's"?

A: "CIA Torture Report".

7/12.

Local press in the U.S. unanimously alleges the CIA's use of tortures was "ineffective" and a mistake.

It is not a "mistake"; it is a crime.

8/12.

U.S. citizens in favor with Donald Trump are hilarious.

He's mocking everyone, turning Politics into Business Management, but they love it!

9/12.

The 14ᵗʰ Nov, 2015, 08:56, Aged 40

I believe in equal rights regardless of race, religion, nationality, disability, gender or sexuality.

No "~ist" tag required for my belief.

10/12.

The 05ᵗʰ Sep, 2015, 07:13, Aged 40

U.S. has screwed up Middle East & Northern Africa since Bush Administration and now EU blindly pays up the consequences.

This is hilarious.

11/12.

The 12ᵗʰ Mar, 2014, 13:31, Aged 38

CIA "In God We Trust" keeps bringing up the possibility of terrorism on MH370.

Stop fussing over people who trust different God(s).

12/12.

The 10th Nov, 2014, 12:14, Aged 39

Every single principle taken for granted begins falling apart, as long as we share the planet and the system, unless we make a deal of it.